RUSSIAN STAGE ONE:
LIVE FROM MOSCOW!

WORKBOOK
Volume I

KIRA S. GOR
(University of Maryland, College Park)

INNA A. HARDMAN
(University of Maryland, College Park)

SERIES EDITOR:
DAN E. DAVIDSON

KENDALL/HUNT PUBLISHING COMPANY
4050 Westmark Drive   Dubuque, Iowa   52002

American Council of Teachers of Russian
1776 Massachusetts Ave., NW Washington DC 20036

Printed in the United States of America
10 9 8 7 6 5 4 3 2 1

TABLE OF CONTENTS

STAGE ONE
WORKBOOK

To the student:

●   Each unit is organized according to a nine-day schedule. Each of these days is reflected in both the textbook and workbook exercises. After Day One of each textbook unit, you will have a corresponding Day One homework assignment in the workbook, etc.

●   The only exception to the nine-day unit is the introductory unit, which has only five days, both for the textbook and workbook portions.

●   Beginning with Unit Two, each workbook unit has a **Warm Up** homework assignment that must be completed on the eve of Day One of each unit. The **Warm Up** assignment introduces important material that is, in some cases, not formally introduced in the textbook; for example, Unit Two — numerals. Do not skip these assignments!

●   Day Nine of each unit is a review and preparation for the unit test. There is no written homework assigned for Day Nine.

●   Workbook assignments consist of listening and writing exercises for each day. You will need to listen to the audio tapes to complete the majority of the listening exercises; occasional exercises will require you to watch portions of the *Live from Moscow!* video. The writing assignments are made up of grammar exercises that reinforce the material presented in class.

●   Occasional workbook exercises that require you to check your answers and review the correct (intonation, pronunciation) forms as part of the assignment have Answer Keys in the back of the workbook.

●   The textbook contains Appendices that present relevant grammatical forms; your workbook exercises will occasionally refer you to these Appendices to help you complete the assignments. Your workbook exercises will also refer you to the Analysis sections at the end of each unit in the textbook for discussions of grammatical points.

●   You will notice that when some polysyllabic words begin with a capital letter, they do not always have stress marks. In these cases, the stress falls on the first vowel which is also the first letter of the word; for example: Это, Анна, Оля, Ира, Игорь.

●   Each unit has its own dictionary and there is a comprehensive Stage One Russian-English, English-Russian Vocabulary List at the end of each volume.

Introduction Workbook
Day 1
<u>Listening</u>

1. Recognizing identical and different pairs of words

You will hear ten pairs of words. Write a "+" if they sound identical and a "—" if they sound different. Do not write what you hear. Listen carefully to the word-initial consonants.

(тут - тут)   1.   +
2.   +
3.   —
4.   —
5.   +
6.   —
7.   —
8.   —
9.   —
10. —

2. Recognizing initial consonants

Fill in the missing initial consonants in the words below. Check yourself with the answer key, then listen to the recording again and repeat after the speaker.

> Try to pronounce **п, т, к** without aspiration and make your **б, д, г** fully voiced.

1. дом
2. ___ок
3. ___ар
4. ___арк
5. ___от
6. ___анк
7. ___орт
8. ___ом
9. ___ол
10. ___ам

3.   **Practicing the pronunciation of a, o, y**

Practice pronouncing **a, o, y** in the following words.

парк, банк, кот, рот, нос, мост, сок, суп, торт, дом, тут

Reading

4.   **What Russian newspapers and magazines are you interested in?**

A. Read the titles of Russian newspapers and magazines.

    1. газе́та «Моско́вские Но́вости»

    2. газе́та «Спорт»

    3. «Литерату́рная газе́та»

    4. журна́л «ТВ Парк»

    5. газе́та «Финанси́ст»

    6. газе́та «Культу́ра»

B. Which publications would you read if you were interested in...

    1. news from Moscow   _____

    2. finance   _____

    3. sports   _____

    4. literary reviews   _____

    5. TV guide   _____

    6. cultural events   _____

Writing

5.   **Practicing writing Cyrillic letters**

Write the syllables and words below in cursive. (In the list below **б** is the only small cursive letter which rises above the center line.)

Аа Бб Гг Дд Зз Кк Лл Мм Нн Оо Пп Рр Сс Тт Уу

аг _____   *га* _____

ба _____   *Аб* _____

Бу _____   *да* _____

ап	оа
Ом	ол
дом	лоб
Ма	ам
м	гл
Глаз	за
На	Он
Ого	ну
рот	Кот
Пон	нос
Сом	пс
Дар	Ур
Ру	ум

6. Letters beginning in a hook

Notice how the letters ending in a hook and beginning in a hook are connected together:

$$а + м = ам \quad мáма$$

Copy the following words, writing them in 3 columns corresponding to the categories below:

суп, мост, торт, банк, рот, сок, парк, бар, нос

places in town	food	human body
_____	_____	_____
_____	_____	_____
_____	_____	_____
_____	_____	_____

Introduction Workbook
Day 2
<u>Listening</u>

1.   Recognizing voiced/voiceless consonants

Listen carefully to the initial voiced or voiceless consonants and circle the word you hear on the tape. Refer to the answer key to check your work, then listen to the recording again and repeat after the speaker.

1. бар - пар

2. вон - фон

3. год - кот

4. дом - том

5. зуб - суп

6. док- ток

7. дом - том

8. жар - шар

9. доска́ - тоска́

10. до́чка - то́чка

2.   Recognizing unstressed o

Write the words in cursive as you hear them on the tape. Circle the <u>vowels</u> that are not pronounced the way they are spelled. Then listen to the recording again and repeat after the speaker.

1. окно́   _____

2. ко́смос   _____

3. ко́шка   _____

4. соба́ка   _____

5. молоко́   _____

6. ка́рта   _____

7. у́хо   _____

8. голова́   _____

9. бана́н   _____

10. ла́мпа   _____

3. **Recognizing the words you hear on the tape**

Listen to the list of things that are up for sale at the student government flea market and write at least four electronics items you might like to buy. (You can do it in English).

1. _____

2. _____

3. _____

4. _____

5. _____

6. _____

Reading

4. **Which section belongs to which publication?**

Your friend collects newspaper and magazine clips of interesting articles, and his/her files have all been mixed up. Can you help sort them out?

1. журна́л «Коммерса́нт»   a. _____

2. газе́та «Спорт»   _____

3. журна́л «ТВ Парк»   _____

4. газе́та «Культу́ра»   _____

Sections:
a. фина́нсы
b. интервью́
c. телепремье́ра
d. и́мпорт
e. поли́тика
f. бюдже́т
g. би́знес + культу́ра
h. хокке́й
i. эконо́мика
j. футбо́л
k. сериа́л «Са́нта-Ба́рбара»
l. фильм «Termина́тор»
m. рок- му́зыка

Writing

5. **Practicing writing**

Copy the following syllables and words in cursive. To review how letters ending and beginning with a hook are connected, see Introductory Workbook Day 1, ex.6.

> "ш," unlike the English "w," consists of 3 identical elements.

Вв Жж Фф Хх Чч Шш Щщ

Ва   ова

Жу _____ *уж* _____

Фр _____ *фа* _____

хм _____ *холл* _____

Что _____ *ач* _____

Шу _____ *ош* _____

чн _____ *ща* _____

шл _____ *уг* _____

го _____ *на́ша* _____

фл _____ *ха* _____

оро _____ *парк* _____

6. Gender

The following words have been sorted out by category. Name the last category and then place all of the words into categories according to their gender.

го́род	дом	еда́	те́ло
city	house	food	

мост	ко́мната	суп	голова́
ка́рта	ла́мпа	молоко́	у́хо
парк	ва́за	са́хар	рот
гара́ж	окно́	бана́н	нос

он	она́	оно́
___	___	___
___	___	___
___	___	___
___	___	___

_____   _____   _____

_____   _____   _____

_____   _____   _____

_____   _____   _____

7.   Word Find #1

а	и	ъ	б	а	н	к
р	в	ш	о	е	з	г
щ	ю	т	д	х	й	а
х	п	м	о	с	т	р
д	а	п	м	б	п	а
к	р	т	ы	л	у	ж
г	к	ю	ь	я	ч	с

дом
мост
гара́ж
банк
парк
авто́бус

Introductory Workbook
Day 3
Listening

1.   Recognizing vowels

A. The following vowels will be repeated three times on the tape. Mark the vowel you hear for each of the twelve recitations.

1.   а о у е и ы

2.   а о у е и ы

3.   а о у е и ы

4.   а о у е и ы

5.   а о у е и ы

6.   а о у е и ы

7.   а о у е и ы

8.   а о у (е) и ы

9.   а (о) у е и ы

10.   а о (у) е и ы

11.   а о у е (и) ы

12.   а о у е и (ы)

B. Now repeat the pairs of vowels after the speaker. Each pair is repeated three times. Remember to smile while pronouncing **ы**.

а - о   о - у   и - ы   у - ы

2.   Recognizing hard and soft consonants

You will hear pairs of syllables with hard and soft consonants. Write a "+" if the sounds you hear are identical and a "— " if they are different.

(на- ня) 1. —   7. —

2.   8. —

3. —   9. —

4. —   10. +

5. —   11. +

6. +   12. —

3.   Recognizing soft consonants

Underline the soft consonants in the words below as you listen to the tape. Listen again and repeat after the speaker. Check yourself with the answer key at the end of the Workbook.

1. стади́он

2. магази́н

3. теа́тр

4. музе́й

5. институ́т

6. такси́

7. гимна́стика

8. гольф

9. студе́нт

10. студе́нтка

Reading

4. **Reading names of American movies**

A. Read the following list of American movies which were suggested for distribution in Russia.

1. Аполло́н - 13	9. Юрский парк
2. Бэ́тмен	10. Пи́тер Пэн
3. Вест-Са́йдская исто́рия	11. Робоко́п
4. Дик Трэ́йси	12. Ро́бин Гуд
5. Иису́с Христо́с — суперзвезда́	13. Термина́тор
6. Интервью́ с вампи́ром	14. Фо́ррест Гамп
7. Кни́га джу́нглей	15. 101 далмати́нец
8. Мэ́ри По́ппинс	

B. Classify the above movies into the categories below. Write in the numbers only.

drama	comedy	adventure	musical	cartoon	children's
1	15	2	3	7	8
6	12	9	5		10
14		11			4
		13			

C. Check the movies you would definitely recommend to a Russian purchasing committee.

5. **Practicing reading words written in cursive**

Connect the words in cursive with those in printed letters.

1. *телефо́н*		1. банк
2. *университе́т*		2. аэропо́рт
3. *парк*		3. кафе́
4. *институ́т*		4. теа́тр
5. *рестора́н*		5. такси́

6. *аэропо́рт*	6. телефо́н
7. *стадио́н*	7. стадио́н
8. *банк*	8. гара́ж
9. *авто́бус*	9. рестора́н
10. *теа́тр*	10. метро́
11. *метро́*	11. музе́й
12. *гара́ж*	12. институ́т
13. *кафе́*	13. парк
14. *такси́*	14. университе́т
15. *музе́й*	15. авто́бус

Writing

6.   Practicing writing

Write the following capital and lower case letters in cursive.

Ее Ёё Ии Йй Цц ыы Ээ Юю Яя

Ем	*ел*
ём	*мел*
Ии	*ми*
ми	*кий*
Ци	*ши*
мы	*вы*
Это	*жи*
Юг	*сю*
Яна	*меня́*
ся	*се*

здесь _____   *ля* _____

ешь _____   *пью* _____

7.　The wrong word out

The words in the columns below have been grouped according to categories. Some words are misplaced. Cross out the words that don't belong in the following categories and place them in the correct categories.

foods	house	sports
молоко́	окно́	ре́гби
са́хар	сок	пинг-по́нг
ко́фе	стул	шкаф
ла́мпа	баскетбо́л	футбо́л
альпини́зм	сала́т	магази́н
суп	стол	парк

_____　_____　_____

_____　_____　_____

_____　_____　_____

_____　_____　_____

human body	places in town
нос	дом
чай	хокке́й
гольф	стадио́н
рот	банк
торт	сыр
у́хо	пи́цца
мост	голова́

_____　　_____

_____　　_____

_____　　_____

_____　　_____

8. **Word Find #2**

э	д	т	ю	р	м	х	ф
х	о	р	у	ч	к	а	л
д	с	т	у	л	б	г	д
о	к	й	л	п	щ	ъ	н
к	а	р	а	н	д	а	ш
н	в	в	м	з	ж	п	п
о	р	р	п	с	т	о	л
а	г	х	а	ю	е	ф	в

л __ __ __ а   с __ __ л
  о __ · __ о   с __ __ л
      р __ __ __ а
   к __ __ __ __ __ __ ш
     д __ __ __ а

Introductory Workbook
Day 4
Listening

1.   Recognizing hard and soft consonants

As you listen to each syllable repeated twice circle the syllable you hear—hard or soft.

1. ты - ти	6. до - дё	11. фо - фё	16. ну - ню
2. да - дя	7. та - тя	12. ва - вя	17. фэ - фе
3. му - мю	8. вы - ви	13. то - тё	18. са - ся
4. во - вё	9. сэ - се	14. зы - зи	19. тэ - те
5. зу - зю	10. пу - пю	15. па - пя	20. ду - дю

2.   Recognizing interrogative and affirmative sentences

You will hear pairs of sentences, statements and yes-no questions. Put a "+" if they are identical (two statements or two questions) and a "—" if they are different (a question and a statement)

— Это каранда́ш?   1. —

— Это каранда́ш.

2. ⁄	5. ⌐	8. ¯
3. ¬	6. ⌐	9. ⌐
4. ⊤	7. ┼	10. ┼

3.   Recognizing unstressed o

As you listen to the following words, mark stress and underline all the unstressed **o**-s which are pronounced as /a/. Pay attention to the rhythm: unstressed /a/-s are shorter, and as a result are different in quality than the stressed ones. Repeat after the speaker.

1. сахар	6. окно
2. лампа	7. доска
3. голова	8. космос
4. кошка	9. молоко
5. собака	10. ухо

Reading

4.   Loan words

Loan-words are words borrowed from one language by another. Russian has borrowed many English words, and English has borrowed words from Russian. Sort out the list of Russian words below according to who borrowed the word from whom.

Russian to English	English to Russian
гла́сность	джаз
_____	_____

_____   _____

_____   _____

_____   _____

_____   _____

_____   _____

_____   _____

_____   _____

Reference words: джи́нсы, во́дка, перестро́йка, космона́вт, би́знес, се́рвис, репортёр, самова́р, фи́рма, спу́тник, шо́у, компью́тер, борщ, балала́йка, рок

Writing

5. Practicing writing

Write the following words in cursive:

А́нна   *Анна*   вы   *вы*

ру́чка   *ручка*   дом   *дом*

ла́мпы   *лампы*   бана́н   *банан*

тётя   *тётя*   ты   *ты*

молоко́   *молоко*   ию́нь   *июнь*

са́хар   *сахар*   голова́   *голова*

Где   *Где*   у́хо   *ухо*

Кто _Кто_   Там _Там_

6. Plural of nouns

Form the plural of the following nouns:

1. магазин - магазины   6. ракéта _ракеты_
2. лáмпа _лампы_   7. рестоáн _рестораны_
3. квартúра _квартиры_   8. кóмната _комнаты_
4. журнáл _журналы_   9. салáт _салаты_
5. автóбус _автобусы_   10. банáн _бананы_

7. Word Find #3

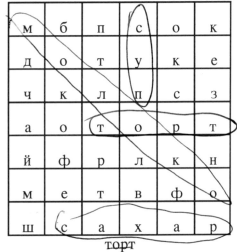

торт
сун
сахар
молокó

Introductory Workbook
Day 5
Listening

1. **Recognizing identical and different syllables**

You will hear identical and different pairs of syllables. Write a "**+**" if they are identical and a "**—**" if they are different. You will hear three types of syllables:

та - тя - тья

/та/ /тᵇа/ /тᵇйа/

(ма - мя)

1. —
2.
3.
4.
5.
6.
7.
8.
9.
10.
11.
12.

2. **Recognizing affirmative and interrogative sentences**

Listen to the following short sentences. They are written without punctuation marks. Write a "**.**" if you hear a statement and a "**?**" if you hear a question.

1. Это парк.
2. Это университе́т
3. Это ко́мната
4. Это магази́н
5. Это каранда́ш

6. Это ру́чка
7. Это гара́ж
8. Это суп
9. Это кварти́ра
10. Это сок

> Statement: IC-1➜falling tone
> Yes-no question: IC-3➜a "big" jump up

3. **Recognizing names of places**

Your friend who lives in the small town of **Пу́шкин** (named after the great Russian poet of the XIXth century) tells you what you can see on main street. Circle what s/he names.

1. кафе́/институ́т
2. такси́/теа́тр
3. университе́т/стадио́н
4. институ́т/банк

5. бар/мост
6. музе́й/метро́
7. магази́н/гара́ж
8. аэропо́рт/парк

Reading

4.   «ТВ Парк»

Here are some ads for the programs and movies shown on different channels of Russian TV from a Russian TV guide «ТВ Парк». As you see, they show a lot of American movies in Russia. Analyze the selection and fill out the chart. Do not worry if you feel you cannot make an informed judgement on all of them.

ТВ Парк	drama	sport	music	cartoon	series
Чайко́вский					
Волше́бная ла́мпа Алладѝна					
Са́нта-Ба́рбара					
Дом Рома́новых					
Анна Каре́нина					
Иису́с Христо́с - суперзвезда́					
Улицы Сан-Франци́ско					
Дисне́й «Пино́ккио»					
Хокке́й - Чемпиона́т МХЛ					
До́ктор Жива́го					
Джаз, джаз, джаз					
Второ́е рожде́ние Ми́кки Ма́уса					

Writing

5.   Names of months

Russian and English names of the months sound similar. Put them in the right order and write them in the 1st column.

1.   _____   янва́рь

2.   _____   март

3.   _____   а́вгуст

4.   _____   ию́ль

5.   _____   дека́брь

6.   _____   сентя́брь

7.   _____   май

8.   _____   ноя́брь

9.   _____   февра́ль

10. _____ октя́брь

11. _____ апре́ль

12. _____ ию́нь

6.   Names of places

List the three places in town you see or visit most often.

_____

_____

_____

7.   Negation

The captions for the pictures below got mixed up at the last moment so that there was no way to fix them. Correct all the errors using full phrases as in the model.

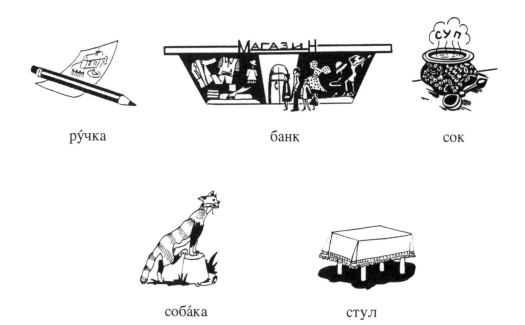

ру́чка   банк   сок

собáка   стул

Это не ру́чка.
Это каранда́ш.

_____

_____

2. _____

_____

3. _____

_____

4. _____

_____

Unit I Workbook
Day 1
<u>Listening</u>

1. **Getting acquainted**

Listen to the following short conversations and circle the names you hear. Some of these people don't know each other while others know each others' names but haven't met. Listen to the conversations again and check which of them take place between people who don't know each other. Then listen and repeat.

1.   — Здра́вствуй. Я Игорь/Ви́ктор.

         — А я Ле́ра/Ве́ра.

         — Очень прия́тно.

         — Очень прия́тно.

2.   — Здра́вствуйте!

         — Здра́вствуйте!

         — Вы Ири́на/Мари́на?

         — Да.

         — А я Анто́н/Семён.

3.   — Здра́вствуйте! Я Серге́й/Андре́й.

         — Здра́вствуйте! А я Поли́на/Валенти́на.

4.   — Здра́вствуй! Ты Ива́н/Русла́н?

         — Да. А ты Инна/Ири́на?

         — Да. Очень прия́тно.

         — Очень прия́тно.

5.   — Здра́вствуйте!

         — Здра́вствуйте!

         — Я Ната́ша/Ма́ша.

         — А я Гали́на/Саби́на.

         — Очень прия́тно.

         — Очень прия́тно.

2.   Recognizing place names

On their way from **Шереме́тьево** airport Та́ня and Дэ́нис passed many different places in Moscow. Listen to the following list of different place names and check the ones that Та́ня and Дэ́нис saw.

❐	магази́н	❐	кафе́
❐	гара́ж	❐	метро́
❐	музе́й	❐	кинотеа́тр
❐	институ́т	❐	университе́т
❐	парк	❐	бар
❐	банк	❐	гости́ница

Writing

3.   Vocabulary practice: making a packing list

You need to pack for your trip to Moscow, but luggage restrictions are tight and you can only take eight things. Write a list of the eight things you cannot do without.

School supplies: ру́чка, каранда́ш, рюкза́к

Clothing: джи́нсы, сви́тер, плащ

Miscellaneous: гита́ра, журна́л, чемода́н, шокола́д, ка́рта, фотоаппара́т, сок, су́мка

1._____

2._____

3._____

4._____

5._____

6._____

7._____

8._____

4.   Vocabulary practice: place names

Provide the Russian equivalents for the following English words.

_____   store

_____   restaurant

_____   stadium

_____   museum

_____   theater

_____   movie theater

_____   hotel

_____   post office

Unit 1 Day 2
Listening

1.　Hard л

Practice your pronunciation of hard /л/. Here are some tips: the front part of the tongue should be curved like a spoon, and the tip of the tongue should be raised and touch the front upper teeth. If your /ы/ is good, you may practice pronouncing /ы/ with the tip of the tongue on the front teeth. This should produce a hard /л/. If you are not sure of your /ы/, begin practicing the hard /л/ with deep back vowels like /o/.

Listen and repeat:

ло — ло — ло
ла — ла — ла
лы — лы — лы
лу — лу — лу

ла́мпа	голова́
сло́во	молоко́
слова́рь	журна́л
слон	пожа́луйста
стол	стул

2.　Intonation practice

You will hear several short dialogs. Mark the intonation in each by placing the number 1, 2, or 3 over the intonational center (stressed syllable) as needed. Once you have marked the intonational centers with a 1, 2, or 3, check your work as you listen to the tape again. Listen and repeat.

```
IC-1 — statements
IC-2 — questions with a
        question word
IC-3 — yes-no questions
```

```
            3
— Это институ́т?
   1              1
— Нет. Это университе́т.
```

1.　— Это метро́?

　　— Да. Это метро́.

2.　— Что э́то?

　　— Это гости́ница.

3.　— Это университе́т?

— Нет. Это институ́т.

4.　　— Это дом?

　　　— Нет. Это не дом. Это гара́ж.

5.　　— Что э́то?

　　　— Это кинотеа́тр.

6.　　— Что э́то?

　　　— Это суп.

7.　　— Кто э́то?

　　　— Это соба́ка.

8.　　— Это магази́н?

　　　— Да. Это магази́н.

9.　　— Это суп?

　　　— Нет. Это сок.

10.　　— Кто э́то?

　　　— Это ко́шка.

Writing

3.　Expressing plurals

Rewrite the sentences below, transforming the nouns into the plural. (Refer to Analysis Unit I, 5, 6.)

> Это музе́й. — Это музе́и.

1. Это кни́га. _____

2. Это сок. _____

3. Это су́мка. _____

4. Это гара́ж. _____

5. Это каранда́ш. _____

6. Это ру́чка. _____

7. Это парк. _____

8. Это ка́рта. _____

9. Это ла́мпа. _____

10. Это магази́н. _____

11. Это маши́на. _____

12. Это университе́т. _____

13. Это гости́ница. _____

14. Это письмо́. _____

15. Это стол. _____

16. Это окно́. _____

17. Это слова́рь. _____

18. Это тётя. _____

4.   Кто э́то? Что э́то?

Imagine, you were meeting Дэ́нис at **Шереме́тьево**. He asks you questions, and you point out places, people, etc. to him. Write down Дэ́нис's questions.

> — Что э́то?   — Кто э́то?
> — Это дом.   — Это Та́ня.

1.   — _____?
     — Это соба́ка.

2.   — _____?
     — Это гости́ница.

3.   — _____?
     — Это рестора́н.

4.   — _____?
     — Это ко́шка.

5.   — _____?
     — Это гара́ж.

6.   — _____?
     — Это Серге́й.

7.   — _____?
     — Это кинотеа́тр.

8.   — _____?
     — Это по́чта.

Unit 1 Day 3
Listening

1. Cardinal numerals

Listen to the numbers from 1 to 10 several times.

1. Listen to the numbers without looking at the page.

2. Cover the right part of the page and look at the phonetic transcription on the left as you listen to the tape.

3. Compare the phonetic transcription with the spelling of the words. Mark the numbers whose spelling differs from their actual pronunciation, as indicated by the phonetic transcription.

4. Listen and repeat.

1.	/адʲи́н/	оди́н
2.	/два/	два
3.	/трʲи/	три
4.	/читы́рʲи/	четы́ре
5.	/пʲатʲ/	пять
6.	/шэстʲ/	шесть
7.	/сʲемʲ/	семь
8.	/во́сʲимʲ/	во́семь
9.	/дʲе́вʲитʲ/	де́вять
10.	/дʲе́сʲитʲ/	де́сять

2. Using the telephone

Listen to the following phone conversations and circle the name of the location you hear on the tape. Listen and repeat.

1.   — Алло́! Это институ́т/гара́ж?

      — Нет, э́то не институ́т/гара́ж.

2.   — Алло́! Это гости́ница/библиоте́ка?

      — Нет, э́то не гости́ница/библиоте́ка.

      — Извини́те.

      — Пожа́луйста.

> Note how the questioner acknowledges the wrong number.

3.   — Алло́! Это рестора́н/магази́н?

      — Нет, э́то не рестора́н/магази́н.

— Извини́те.

— Пожа́луйста.

4. — Алло́! Это банк/парк?

— Нет, э́то не банк/парк.

— Извини́те.

— Пожа́луйста.

3.   Telephone numbers

Listen to the phone numbers of the following locations and write them down.

1. магази́н «Овощи-фру́кты» _____

2. рестора́н «Самова́р» _____

3. библиоте́ка _____

4. кинотеа́тр «Ко́смос» _____

5. стадио́н _____

Writing

4.   Expressing possession

Using the model as a guide, fill in the blanks with the appropriate possessive pronoun. Make sure the possessive pronoun agrees in gender with the noun it modifies. (Refer to Analysis Unit I, 9.)

я:	Это <u>моя́</u> соба́ка.

1. мы: Это _____ кварти́ра.

2. ты: Это _____ чемода́н.

3. вы: Это _____ письмо́.

4. мы: Это _____ маши́на.

5. ты: Это _____ каранда́ш.

6. я: Это _____ друг.

7. вы: Это _____ бага́ж.

8. мы: Это _____ окно́.

9. я: Это _____ телефо́н.

10.   ты: Это _____ рюкза́к.

11.   мы: Это _____ кни́га.

12.   вы: Это _____ дом.

13.   я: Это _____ ко́шка.

14.   ты: Это _____ су́мка.

5.   Finding your belongings

You let your friend stay at your place while you were away, and when you got back, you could not find some of your things. Ask your friend where they are.

Где мой слова́рь?

1. _____

2 _____

3. _____

4. _____

5. _____

6. _____

7. _____

8. _____

9. _____

10. _____

Reference words: pen, book, backpack, bag, jacket, magazines, pencil, dictionary, jeans, map

6. Translation

When you and your friends arrive in Moscow you realize that you are the only American in your group who speaks Russian. You have to act as an interpreter for your friend Nick. Translate for him, filling in the blanks on the right.

1.　Ник:　Hello!　　　　＿＿＿＿＿＿＿＿＿＿＿＿＿＿＿

　　Нина:　Здра́вствуйте!　　Hello.

　　Ник:　Are you Nina?　　＿＿＿＿＿＿＿＿＿＿＿＿＿＿＿

　　Нина:　Да. А вы Ник?　　Yes. And you're Nick?

　　Ник:　Yes, I am. Nice to meet you.　＿＿＿＿＿＿＿＿＿＿＿＿＿＿＿

　　　　　　　　　　＿＿＿＿＿＿＿＿＿＿＿＿＿＿＿

　　Нина:　Óчень прия́тно.　　Nice to meet you.

2.　Ник:　What is that?　　＿＿＿＿＿＿＿＿＿＿＿＿＿＿＿

　　Нина:　Это магази́н.　　It's a store.

　　Ник:　Is that a restaurant?　＿＿＿＿＿＿＿＿＿＿＿＿＿＿＿

　　Нина:　Нет, э́то кафе́.　　No, it's a café.

3.　Ник:　Is that a bank?　　＿＿＿＿＿＿＿＿＿＿＿＿＿＿＿

　　Нина:　Да, банк.　　Yes, it's a bank.

4.　Ник:　Where is the hotel?　＿＿＿＿＿＿＿＿＿＿＿＿＿＿＿

　　Нина:　Вон там.　　Over there.

Unit 1 Day 4
Listening

1. Identifying luggage at the "Lost and Found"

Listen to the conversations in the "Lost and Found" at **Шереме́тьево** airport. Mark the intonation by placing the number 1 or 3 over the intonational center (stressed syllable) for each line. Listen and repeat. (Refer to Analysis Unit I, 11.)

$$\qquad\qquad\qquad\quad 3$$

1.   — Это ва́ши ве́щи?

                1   1

         — Да, мой.

2.   — Это ва́ша су́мка?

         — Нет, не моя́.

3.   — Это ваш рюкза́к?

         — Нет, не мой.

4.   — Это ваш слова́рь?

         — Да, мой.

5.   — Это ва́ша ку́ртка?

         — Нет, не моя́.

6.   — Это ваш чемода́н?

         — Да, мой.

7.   — Это ваш фотоаппара́т?

         — Нет, не мой.

8.   — Это ваш бага́ж?

         — Да, мой.

2.   Identifying ownership

You are camping with a group of friends. You all put your food supplies in one place and are now sorting them out. This is a bit difficult since you all brought similar things. Listen to the questions and answer them in Russian. Practice reading out loud — don't be afraid to exaggerate the intonational centers.

1.   — Это ва́ши су́мки?

    — Нет, не на́ши.

2.   — Это твой чай?

    — Да, мой.

3.   — Это ваш хлеб?

    — _____ .

4.   — Это твой сыр?

    — _____ .

5.   — Это твой сок?

    — _____ .

6.   — Это твой бана́ны?

    — _____ .

7.   — Это твоё молоко́?

    — _____ .

8.   — Это ваш суп?

    — _____ .

Writing

3.   Numbers

Answer each item on the questionnaire in Russian. Write out the numbers (**оди́н, пять,** etc.) in words. (Refer to Appendix IV.)

1. How many people are there in your family?	
2. How old were you when you started school?	
3. How many times a week do you watch TV?	
4. How many hours do you sleep at night?	
5. How many times a day do you eat?	
6. How many times per month do you clean your room/apartment?	
7. How many times a week do you exercise?	
8. How many times have you been to Russia?	
9. How many languages do you speak now?	
10. How many times a day do you drink your favorite drink (juice, coke, coffee, etc.)	
11. How many questions have you answered?	

4. Identifying ownership

When you went shopping for your trip to Moscow you made the mistake of buying the same things your friend bought. The two of you are having a hard time sorting them out now that you are in Moscow. Fill in the missing words. (Refer to Analysis Unit I, 9.)

A.

> — Это твоя́ ка́рта?
> — Да, моя́.

1. — _____ рюкза́к?

— Нет, не мой.

2. — _____ ве́щи?

— Да, мой.

3. — _____ каранда́ш?

— Нет, _____ .

4. — _____ журна́л?

— Да, _____.

5. — _____ ру́чки?

— Да, _____.

B.

> — Это моя́ су́мка?
> — Да, твоя́.

1. — Это мой кни́ги?

— Да, _____.

2. — Это моя_____?

— Да, _____.

3. — Это мой _____?

— Да, _____.

4. — Это мой _____?

— Да, _____.

5. — Это мой _____?

— Да, _____.

C.

> — Это твои́ ве́щи?
> — Нет, не мои́.

1. — Это твой слова́рь?

— Нет, _____.

2. — Это твоя́ _____?

— Нет, _____.

3. — Это твой_____?

— Нет, _____.

4. — Это твой _____?

— Нет, _____.

5. — Это твой _____?

— Нет, _____.

Unit 1 Day 5
Listening

1. **Determining what someone is asking in IC-3 questions**

You are showing your family pictures to your Russian friend. He asks you questions.

A. Listen to the following questions and mark the intonational center you hear.

		3	1 1
1.	Это твоя́ сестра́?		Да, моя́. / Да, сестра́.
2.	Это твоя́ маши́на?		Да, моя́. / Да, маши́на.
3.	Это твоя́ ко́мната?		Нет, не моя́. / Нет, не ко́мната.
4.	Это твой брат?		Нет, не мой. / Нет, не брат.
5.	Это твой па́па?		Да, мой. / Да, папа́.
6.	Это твоя́ подру́га?		Да, моя́. / Да, подру́га.
7.	Это твоя́ ма́ма?		Нет, не моя́. / Нет, не ма́ма.
8.	Это твой друг?		Нет, не мой. / Нет, не друг.
9.	Это ва́ша соба́ка?		Да, на́ша. / Да, соба́ка.
10.	Это ваш дом?		Да, наш. / Да, дом.
11.	Это ваш го́род?		Да, наш. / Да, го́род.
12.	Это ва́ши ве́щи?		Да, на́ши. / Да, ве́щи.

B. The answer to a question always depends on what people are asking. In Russian, this is reflected by the intonational center of the question. Therefore, the answer to the question:

3
Это твоя́ сестра́?

is: 1   1
Да, сестра́.

or: 1   1
Нет, не сестра́.

The answer to the question:

3

Это твоя́ сестра́?

is: 1   1

Да, моя́.

or: 1   1

Нет, не моя́.

Listen to the list of questions again and circle the appropriate answers.

C. Listen once more and read the answers you circled out loud.

2.   Getting/giving directions

A. Listen to the conversations below and circle the names of the places in each question and response as you hear them.

1.   A.   — Извини́те, э́то магази́н / кинотеа́тр?

         B.   — Нет, э́то магази́н / кинотеа́тр.

         A.   — А где магази́н / кинотеа́тр?

         B.   — Магази́н / кинотеа́тр вон там.

         A.   — Спаси́бо.

         B.   — Пожа́луйста.

2.   A.   — Извини́те, это теа́тр / музе́й?

         B.   — Нет, э́то теа́тр / музе́й.

         A.   — А где теа́тр / музе́й?

         B.   — Теа́тр / музе́й вон там.

         A.   — Спаси́бо.

         B.   — Пожа́луйста.

3.   A.   — Извини́те, э́то гости́ница / по́чта?

         B.   — Нет, э́то гости́ница / по́чта.

         A.   — А где гости́ница / по́чта?

         B.   — Гости́ница / по́чта вон там.

         A.   — Спаси́бо.

         B.   — Пожа́луйста.

4.   A.   — Извини́те, э́то шко́ла / библиоте́ка?

         B.   — Нет, э́то шко́ла / библиоте́ка.

         A.   — А где шко́ла / библиоте́ка?

         B.   — Шко́ла / библиоте́ка вон там.

         A.   — Спаси́бо.

         B.   — Пожа́луйста.

B. Listen to the dialogs and repeat only what "A" says.

C. Listen to the dialogs and repeat only what "B" says.

Writing

3.   Talking about professions/occupations

Your new Russian e-mail penpal wrote you a message describing his/her family members and their occupations. Somehow the message got scrambled. Can you still read the message? Write it down.

мой	ма́ма	программи́ст
моя́	па́па	студе́нт
моя́	брат	шко́льница
мой	сестра́	преподава́тельница

> Note the occupations and professions that have different versions for men and women.

> Remember that though па́па has a feminine ending it is a masculine noun and requires masculine modifiers: **мой** па́па.

> Моя́ подру́га актри́са.

1. _____ .

2. _____ .

3. _____ .

4. _____ .

4.   Expressing possession

You prepared a set of pictures of you and your family to send to your Russian friend but the inscriptions you wrote in pencil on the backs of the pictures partially got smeared off.

Rewrite the inscriptions before you send the pictures off to Moscow. (Refer to Analysis Unit I, 9.)

1. Это я и _____ собáка Рекс. (my)

2. Это _____ брат Джон, он студéнт. (my)

3. Это _____ сестрá Лѝза, онá студéнт_____. (my)

4. Тут _____ пáпа, он экономѝст. (my)

5. Это _____ сестрá Пэм, онá шкóльни_____. (my)

6. Это _____ кóшка Пýсси. (our)

7. Это _____ дом и гарáж. (our)

8. Это _____ мáма, онá бизнесмéн. (my)

9. Это _____ друг Том, он студéнт. (my)

10. Это _____ кóмната. (my)

Unit 1 Day 6
Listening

1. **Hard and soft л**

Listen to the pairs of syllables with hard /л/ and soft /л^ь/. Write in a "+" if the sounds you hear are identical and a "—" if they are different.

(ла-ла)   1. +

(ла-ля)   2. —

               3.

               4.

               5.

               6.

               7.

               8.

               9.

             10.

             11.

             12.

             13.

Writing

2. **Translation: asking for directions**

You are in Moscow with an American friend who doesn't speak Russian. Act as an interpreter for him/her as s/he attempts to locate a library and a museum.

1.   — Excuse me, is this the library?

       — _____ ?

       — Библиотéка? Нет, это инститýт.

       — Library? No, this is the institute.

       — And where is the library?

       — _____ ?

       — Вон там.

       — Over there.

— Thank you.

— _____ .

— Пожа́луйста.
— You're welcome.

2.   — Excuse me, where is the museum?

— _____ ?

— Музе́й? Вон там.
— Museum? Over there.

— Thank you.

— _____ .

— Пожа́луйста.
— You're welcome.

3.   Showing someone around your home town

You are walking down the street in your home town and meet a group of Russian tourists who do not speak English. (Aren't they lucky to have found you!) Help them locate different places in the area.

A. Using any of the following models, show the tourists 5 places in town.

> Это наш центр.
> Вот наш центр.
> Тут наш центр.
> Там наш центр.

1._____ .

2._____ .

3._____ .

4._____ .

5._____ .

Reference words:

stores, museum, library, restaurants, park, bank, café, theater, post office, movie theater, hospital, hotel

B. The Russian tourists are not used to American architecture and mistake one place for another. Correct their mistakes.

> — Это магазин? (кафе) ⇒
> — Нет, это не магазин. Это кафе.

1. Извините, это банк? (театр)

—————————————————————— .

2. А это гостиница? (магазин)

—————————————————————— .

3. Это музей? (ресторан)

—————————————————————— .

4. А это кинотеатр? (гостиница)

—————————————————————— .

5. Извините, это библиотека? (институт)

—————————————————————— .

6. Это театр? (банк)

—————————————————————— .

Unit 1 Day 7
Listening

1. Dictation

The dictation will be read three times; the first two times the sentences will be read slowly, and the third time they will be read at regular speed. After you have written the sentences down, mark the intonation by placing the number 1, 2 or 3 over the the intonational center.

1. _____

_____

2. _____

_____

_____

_____

Writing

2. Expressing plurals

Change the following nouns and their corresponding possessive pronouns from singular to plural. (Refer to Analysis Unit I, 5, 6, 13)

1. моя́ маши́на   _____

2. на́ша газе́та   _____

3. твой рестора́н   _____

4. ваш костю́м   _____

5. на́ша ко́шка   _____

6. твоя́ соба́ка   _____

7. мой рюкза́к   _____

8. моё окно́   _____

9. вáша сýмка   _____

10. нáша подрýга   _____

11. ваш пáпа   _____

12. мой карандáш   _____

13. ваш нос   _____

14. твой институ́т   _____

15. наш университéт   _____

16. твой чемодáн   _____

17. мой словáрь   _____

18. вáше письмó   _____

3. Translation

Your friend wants to send a photo album of his family and friends to his new Russian friend. He wrote an accompanying note in English. Can you help translate it into Russian?

Dear Boris[1] ,

These are my photos. This is my mother and my father. My mother is a journalist. My father is a teacher. Here is my brother Sam. He is a high school student. Here are my friends, Susan and Sara. They are students. This is my dog Spot. This is my cat Fifi. Here is our house.

Sincerely,
Bob

_____!

_____

_____

_____

_____

_____

[1] Russians usually place the salutation in the middle of the line. The salutation is followed by an exclamation.

Unit 1 Day 8
Listening

1.   **Talking about professions/occupations**

Listen to the introductions of three families who are finalists in an amateur contest for family singing groups. Fill out their relationships to each other and their occupations. Listen to the recording as many times as you need in order to find all the necessary information.

Name	Relationship	Profession/occupation
Олéг	*муж*	*инженéр*
Татья́на		
Ольга		
Алекса́ндр		
Ната́ша		
Сергéй		
Па́вел		
Елéна		
Дми́трий		
Мари́на		
Алекса́ндра		
Евгéний		

2.   **Asking shorter and longer yes-no questions**

A. Practice asking shorter and longer yes-no questions. Fill in the missing words as you hear them on the tape. Listen and repeat. Note that the purpose of all of the questions is to find out who all these things belong to; this is reflected in the intonational centers.

3	3	3
Это ваш чемода́н?	Ваш чемода́н?	Ваш?

3	3	3
1. Это ва́ша _____?	Ва́ша _____?	Ва́ша?
2. Это твой _____?	Твой _____?	Твой?
3. Это на́ши _____?	На́ши _____?	На́ши?
4. Это мой _____?	Мой _____?	Мой?
5. Это твоя́ _____?	Твоя́ _____?	Твоя́?
6. Это ва́ши _____?	Ва́ши _____?	Ва́ши?
7. Это на́ша _____?	На́ша _____?	На́ша?
8. Это твой _____?	Твой _____?	Твой?

B. The purpose of the yes-no questions below is to find out about somebody's belongings, relatives, etc. Fill in the missing words. Listen and repeat.

3	3	3
Это твоя сестра?	Твоя сестра?	Сестра?

1. Это твоя $\overset{3}{\rule{3cm}{0.4pt}}$? Твоя $\overset{3}{\rule{3cm}{0.4pt}}$? $\overset{3}{\rule{3cm}{0.4pt}}$?

2. Это твой $\overset{3}{\rule{3cm}{0.4pt}}$? Твой $\overset{3}{\rule{3cm}{0.4pt}}$? $\overset{3}{\rule{3cm}{0.4pt}}$?

3. Это твоя $\overset{3}{\rule{3cm}{0.4pt}}$? Твоя $\overset{3}{\rule{3cm}{0.4pt}}$? $\overset{3}{\rule{3cm}{0.4pt}}$?

4. Это твой $\overset{3}{\rule{3cm}{0.4pt}}$? Твой $\overset{3}{\rule{3cm}{0.4pt}}$? $\overset{3}{\rule{3cm}{0.4pt}}$?

5. Это твой $\overset{3}{\rule{3cm}{0.4pt}}$? Твой $\overset{3}{\rule{3cm}{0.4pt}}$? $\overset{3}{\rule{3cm}{0.4pt}}$?

Writing

3.   Talking about professions/occupations

Pretend that you are Дэнис. Tell Таня about yourself, your family and your friends. (Refer to Analysis Unit I, 14.)

Я Дэнис. Я фотограф.

Моя мама _____.

Мой папа _____.

Моя сестра _____.

Мой брат Стив _____.

4.   Translation: courtesy requirements

How does one respond in each of these situations?

1.   — Здравствуйте, я Катя.

        — А я Оля.

        _____

        (Nice to meet you.)

2. — Это твой слова́рь?
    — Да, мой. Спаси́бо.

    —————————————————

    (You're welcome.)

3. — Извини́те, э́то магази́н?
    — Нет, э́то банк.

    —————————————————

    (I'm sorry.)

    —————————————————

    (That's OK./No problem.)

4. — Где тут телефо́н?
    — Вон там.

    —————————————————

    (May I?)

    —————————————————

    (Go ahead.)

Unit II Workbook
Warm-up
<u>Listening</u>

1.   Room names

Tomorrow we will see Дэ́нис's new apartment for the first time. Let's prepare for this episode by learning room names. Listen and repeat.

ва́нная	bathroom
гости́ная	living room
ку́хня	kitchen
спа́льня	bedroom
столо́вая	dining room
туале́т	half-bath

<u>Writing</u>

2.   Ваш дом

Try drawing a floor plan of your own house/apartment in Russian.

A typical Russian apartment is much smaller than an average American apartment. Often one room will function as a спа́льня, гости́ная and столо́вая. Because of this it can be difficult to "name" rooms in a Russian apartment.

For your reference, here is a drawing of the apartment that you will see tomorrow:

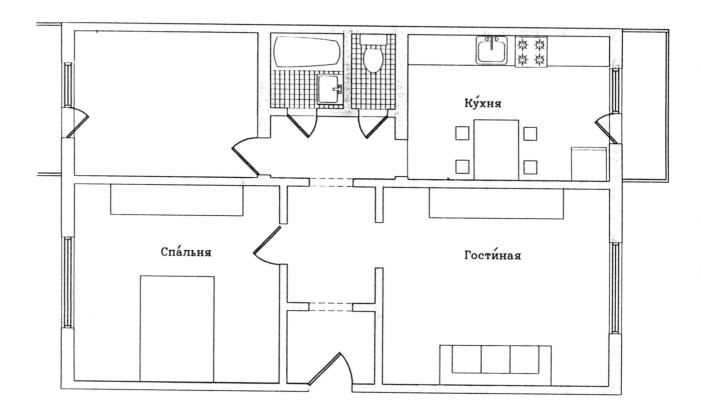

Before you go to the next class, skim through the questions in the textbook for Unit 2, Day 1 to get a general idea of what will happen in the next episode of the video.

Unit 2 Day 1

Listening

1. **Showing someone around your home**

A. You are people watching at a housewarming party in a Russian home. Listen to the following conversations and circle the word you hear.

1. — Вот на́ша ко́мната/кварти́ра.

    — Интере́сно! А где твоя́ ко́мната/кварти́ра?

2. — Тут ку́хня/спа́льня. А там столо́вая/спа́льня.

    — А где ку́хня/ ва́нная?

    — Вон там.

3. — Тут о́чень хорошо́!

    — Вот на́ша столо́вая/гости́ная.

    — Краси́во!

    — Да, по-мо́ему, тут непло́хо.

4. — Скажи́те пожа́луйста, а где здесь туале́т/ку́хня?

    — Туале́т/ку́хня вон там. А тут ва́нная/спа́льня.

    — Спаси́бо.

5. — Вот моя́ ко́мната/гости́ная.

    — Краси́во!

    — А это на́ша ко́мната/гости́ная.

    — Это ва́ши фотогра́фии?

    — Да, мой.

6. — Извини́те, это спа́льня/ва́нная?

    — Нет, э́то не спа́льня/ва́нная.

    — А что э́то?

    — Это туале́т/ку́хня.

    — А где спа́льня/ва́нная?

    — Она́ вон там.

    — Спаси́бо!

B. Listen to the conversations again and mark the intonation. Remember that exclamations are pronounced with IC-2:

2
Интере́сно!

C. Listen and repeat. Try to imitate the intonation.

Writing

2.   New vocabulary

A. Match the following Russian and English words. If you are not sure what the word's meaning is, look it up in the vocabulary list at the end of the unit.

таре́лка	plate	ва́нная	knife
ку́хня	spoon	телеви́зор	stove
ча́шка	dining room	сыр	refrigerator
помидо́р	bread	холоди́льник	cheese
хлеб	salami, sausage	бана́н	half-bath
столо́вая	bedroom	туале́т	sandwich
апельси́н	cup	плита́	television set
ма́сло	butter	бутербро́д	banana
гости́ная	orange	ви́лка	bathroom
ло́жка	kitchen	нож	teapot
спа́льня	living room	телефо́н	fork
колбаса́	tomato	ча́йник	telephone

B. Sort the above words into categories.

food	rooms in an apartment	dishes and flatware	electronics	appliances
бана́н	ва́нная	ви́лка	телефо́н	холоди́льник

Unit 2 Day 2

Listening

1.   Prepositional phrases: unstressed e

Listen to the following prepositional phrases. Write the phonetic transcription of all the underlined endings. Remember that the **unstressed e** is pronounced as /и/. (Refer to Analysis Unit I, 15 B.) Listen and repeat.

1. в Москв<u>е́</u>	/e/	
2. в до́м<u>е</u>	/и/	
3. в магази́н<u>е</u>	___	
4. в го́род<u>е</u>	___	
5. в кварти́р<u>е</u>	___	
6. в словар<u>е́</u>	___	
7. в институ́т<u>е</u>	___	
8. в библиоте́к<u>е</u>	___	

2.   Prepositional phrases: devoicing of the preposition в

Listen to the following prepositional phrases. Circle the correct phonetic transcription of the preposition в (/в/ or /ф/). Your selection will be determined by the first consonant of the noun.

Remember that the last consonant in a consonant cluster formed by the preposition with a noun determines the voicing for the whole cluster. (Refer to Analysis Unit I, 15 B.)

voiced + voiceless = voiceless	**в с**ловаре́	/**фс**лаварʲé/
voiceless + voiceless = voiceless	**ст**ол	/**ст**ол/
voiceless + voiced = voiced	рю**кз**а́к	/рʲу**гз**а́к/
voiced + voiced = voiced	**в б**а́нке	/**вб**а́нкʲи/

1.   в /в/ /ф/ магази́не
2.   в /в/ /ф/ шко́ле
3.   в /в/ /ф/ теа́тре
4.   в /в/ /ф/ кино́
5.   в /в/ /ф/ музе́е
6.   в /в/ /ф/ гости́нице
7.   в /в/ /ф/ больни́це
8.   в /в/ /ф/ па́рке
9.   в /в/ /ф/ ко́мнате
10.   в /в/ /ф/ кварти́ре

Writing

3. Expressing location

Answer the following questions with the appropriate preposition (в/на). (Refer to Analysis Unit II, 12 - 14.)

> — Где Да́ша? (магази́н) ⇒
> — Она́ в магази́не.

1. — Где твой брат? (шко́ла) — _____.

2. — Где Серге́й? (гара́ж) — _____.

3. — Где твой роди́тели? (да́ча) — _____.

4. — Где твоя́ сестра́? (стадио́н) — _____.

5. — Где моя́ кни́га? (су́мка) — _____.

6. — Где мой журна́лы? (рюкза́к)— _____.

7. — Где Та́ня? (институ́т) — _____.

8. — Где Дэ́нис? (рабо́та) — _____.

9. — Где моё письмо́? (стол) — _____.

10. — Где на́ши ве́щи? (ко́мната) — _____.

11. — Где мой бана́н? (ку́хня) — _____.

12. — Где твоя́ подру́га? (бар) — _____.

4. Verb conjugation

A. Write out the full conjugation for the verb жить (жив-). (Refer to Analysis Unit II, 3, 7, 8.)

Present Tense	Past Tense
я _____	он_____
ты _____	она́_____
он, она́_____	оно́_____
мы_____	они́_____

вы_____   Infinitive

они_____   _____

B. Fill in with the approprate form of жить (жив-^{x}):

1. Ра́ньше Ира _____ в Москве́, а сейча́с она́ _____ в Вашингто́не.

2. — Где ты _____?

   — Я _____ в шта́те Небра́ска.

3. — Вы _____ в Москве́?

   — Нет, мы там _____ ра́ньше. Сейча́с мы _____ в шта́те Нью-Йо́рк.

4. — Где сейча́с _____Алексе́й?

   — Он и его́ роди́тели _____ в Аме́рике.

5. Talking about where people live

Ask and answer questions about where these people live.

> — Это ваш преподава́тель? Где он живёт?
> — Он живёт в Москве́.

1. — Это ва́ши роди́тели? _____ ?

   — _____ .

2. — Это твой брат? _____ ?

   — _____ .

3. — Это твоя́ подру́га? _____ ?

   — _____ .

4. — Это твоя́ семья́? _____ ?

   — _____ .

5. — Это твой друг? _____ ?

   — _____ .

6. — Это твоя́ сестра́?_____ ?

   — _____ .

Unit 2 Day 3

Listening

1.   Recognizing parallel vs. contrasting answers

Listen to the following short conversations and circle the answers. Listen a second time and mark the intonation. Pay special attention to the intonation in short questions beginning with **A**: «А ты?»

1.   — Я мно́го гуля́ю. А ты?

        — И я./ А я нет.

2.   — Он ма́ло рабо́тает. А вы?

        — И мы./ А мы нет.

3.   — Они́ мно́го чита́ют. А ты?

        — И я./ А я нет.

4.   — Вы ма́ло отдыха́ете. А она́?

        — И она́./ А она́ нет.

5.   — Мы мно́го рабо́таем. А они́?

        — И они́. / А они́ нет.

6.   — Я мно́го рабо́таю. А вы?

        — И мы. / А мы нет.

7.   — Ты ма́ло отдыха́ешь. А они́?

        — И они́. / А они́ нет.

8.   — Вы ма́ло чита́ете. А он?

        — И он. / А он нет.

2.   **Talking about yourself**

Listen the following questions and fill in the missing personal pronouns. Answer the questions. Remember that a positive answer begins with **И**: И я. = "Me too."
 A negative answer begins with **А**: А я нет.

> — Утром я рабо́таю. А ты?
> — И я.
>
> — Ве́чером мы рабо́таем. А вы?
> — А мы нет.

1.   —Днём _____ отдыха́ют. А ты?

        —_____

2.   —Утром_____ гуля́ю. А ты?

        —_____

3.   —Днём _____ рабо́таем. А ты?

        —_____

4.   —Ве́чером _____ чита́ю. А ты?

        —_____

5.   —Ве́чером _____ гуля́ем. А ты?

        —_____

6.   —Днём _____ гуля́ют. А ты?

        —_____

Writing

3.   **Verb practice: рабо́тать (рабо́тай-):**

Fill in the appropriate form of the verb рабо́тать (рабо́тай-). (Refer to Analysis Unit II, 3, 9.)

1. Я врач. Я _____ в больни́це.

2. Ты преподава́тельница? Ты _____в университе́те?

3. Он ме́неджер. Он _____ на стадио́не.

4. Она́ актри́са. Она́ _____ в теа́тре.

5. Мы журнали́сты. Мы _____ в газе́те.

6. Вы писа́тельница? Вы _____ до́ма?

7. Они́ официа́нты. Они́ _____ в рестора́не.

4. Вы и ва́ша семья́

Write one sentence each about yourself and four other people (family or friends). Where do you live and work? Where do you relax?

_____

_____

_____

_____

_____

5. Talking about yourself, your family and your friends

A. Complete the following statements about you, your family members, and friends using the provided verbs for each statement. Do not forget to make the verb agree with the subject by choosing the appropriate ending. All verbs should be in the present tense.

рабо́тать (рабо́т**ай**-); отдыха́ть (отдых**а́й**-); чита́ть (чит**а́й**-); гуля́ть (гул**я́й**-)

Я мно́го_____.

Я ма́ло_____.

Я не_____.

Мой брат/моя́ сестра́ мно́го_____.

Мой брат/моя́ сестра́ ма́ло_____.

Мой брат/моя́ сестра́ не_____.

Мой друг/моя́ подру́га мно́го_____.

Мой друг/моя́ подру́га ма́ло_____.

Мой друг/моя́ подру́га не_____.

Мой роди́тели мно́го_____.

Мой роди́тели ма́ло_____.

Мой роди́тели не_____.

B. Complete the following statements using the same verbs in the past tense this time.

Вчера́ я_____.

Вчера́ мой друг_____.

Вчера́ моя́ подру́га_____.

Вчера́ мои́ роди́тели_____.

Unit 2 Day 4

Listening

1. Recognizing place names

A. You are standing on a busy Moscow street and people are asking for directions. Listen to their conversations and fill in the missing names of places, where appropriate.

1. — Вы не зна́ете, где тут _____?
   — Я не зна́ю. Я здесь не живу́.
   — Извини́те.
   — Пожа́луйста.

2. — Вы не зна́ете, где тут _____?
   — Я не зна́ю. Я здесь не живу́.
   — Извини́те.
   — Пожа́луйста.

3. — Скажи́те пожа́луйста, где здесь _____?
   — Я не зна́ю. Я здесь не живу́.
   — Извини́те.
   — Пожа́луйста.

4. — Скажи́те пожа́луйста, где здесь _____?
   — Я не зна́ю. Я здесь не живу́.
   — Извини́те.
   — Пожа́луйста.

5. — Извини́те, где тут _____?
   — Я не зна́ю. Я здесь не живу́.
   — Извини́те.
   — Пожа́луйста.

B. Listen again and repeat. Pay attention to intonation.

2. Using the prepositional case

Listen to the following phone conversations. Fill in the missing words.

1. — Алло́!
   — Здра́вствуйте! А Ви́ктор до́ма?

— Нет, он в _____.

— Извини́те.

— Пожа́луйста.

2.   — Алло́!

— Здра́вствуйте! Это Лёна. А Вéра до́ма?

— Нет, она́ в _____.

— Спаси́бо. До свида́ния.

— До свида́ния.

3.   — Алло́!

— Здра́вствуйте! Это Ната́ша. А Мари́на до́ма?

— Нет, она́ _____.

— Спаси́бо.

— Пожа́луйста.

4.   — Алло́!

— Здра́вствуй, Ира. Это Макси́м. А Сергéй до́ма?

— Нет, он _____.

— Спаси́бо. До свида́ния.

— До свида́ния.

Writing

3.   **Expressing possession**

Your Russian friend is showing you the family photo albums. Fill in the missing words. Remember that **его́, её, их** never change for agreement. (Refer to Analysis Unit II, 10, 11)

A.

Это мой профéссор. А э́то его́ учéбник.

1. Это моя́ до́чка. А э́то _____ко́шка.

2. Это мои́ роди́тели. А э́то _____ да́ча.

3. Это мой брат. А э́то _____ ко́мната.

4. Это мой друг. А э́то _____ гара́ж.

5. Это моя́ сестра́. А э́то _____ дом.

6. Это моя́ подру́га. А э́то _____ роди́тели.

B.

> — Это моя́ соба́ка.
> — А чья э́то соба́ка?
> — Это её соба́ка.

1.   — Это мои́ роди́тели.

       — А чья э́то маши́на?

       — Это_____ маши́на.

2.   — Это мой брат.

       — _____ э́то дом?

       — Это_____ дом.

3.   — Это моя́ подру́га.

       — _____ роди́тели?

       — Это_____ роди́тели.

4.   — Это мой друг.

       — _____ ко́мната?

       — Это_____ ко́мната.

5.   — А э́то мой друг Андре́й и моя́ подру́га Светла́на.

       — _____ э́то да́ча.

       — Это _____ да́ча.

4.   Verb conjugation

Give the full conjugation for the following verbs. (Refer to Analysis Unit II, 3, 7, 9)

гуля́ть (гуля́й-)

Present Tense	Past Tense
я_____	он_____
ты_____	она́_____

он, она́ _____   оно́ _____

мы _____   они́ _____

вы _____   <u>Infinitive</u>

они́ _____   _____

отдыха́ть (отдыха́й-)

<u>Present Tense</u>   <u>Past Tense</u>

я _____   он _____

ты _____   она́ _____

он, она́ _____   оно́ _____

мы _____   они́ _____

вы _____   <u>Infinitive</u>

они́ _____   _____

5. Showing someone around the house

Your family has decided to host an exchange student from Russia. When she arrives, you show her around your home. Write down and rehearse your description of your home. Here are some words you might include. Add as much as you can. (Refer to Analysis Unit I, 9.)

Вот	столо́вая	кни́ги	ла́мпа	хорошо́
Тут	ко́мната	словари́	дива́н	краси́во
Там	ку́хня	ве́щи	стол	непло́хо

Вот наш дом/на́ша кварти́ра.

_____

_____

_____

_____

_____

_____

По-мо́ему, тут _____

Unit 2 Day 5

Listening

1. **Determining the place of the intonational center**

You are at a meeting of international students and faculty members at Moscow State University. Listen to their conversations and mark the intonation you hear. The place of the intonational center in questions is determined by the sense of the question. The key to the location of the question's intonational center is the short answers provided.

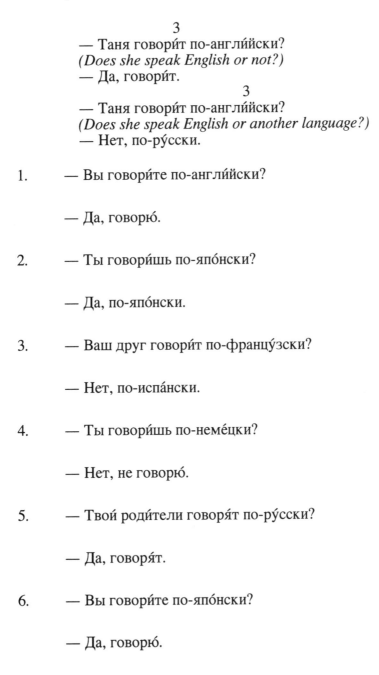

3
— Таня говори́т по-англи́йски?
(Does she speak English or not?)
— Да, говори́т.
3
— Та́ня говори́т по-англи́йски?
(Does she speak English or another language?)
— Нет, по-ру́сски.

1.   — Вы говори́те по-англи́йски?

     — Да, говорю́.

2.   — Ты говори́шь по-япо́нски?

     — Да, по-япо́нски.

3.   — Ваш друг говори́т по-францу́зски?

     — Нет, по-испа́нски.

4.   — Ты говори́шь по-неме́цки?

     — Нет, не говорю́.

5.   — Твои́ роди́тели говоря́т по-ру́сски?

     — Да, говоря́т.

6.   — Вы говори́те по-япо́нски?

     — Да, говорю́.

7.   — Ты говори́шь по-испа́нски?

       — Нет, по-францу́зски.

8.   — Твоя́ подру́га говори́т по-ру́сски?

       — Нет, не говори́т.

Writing

2.   Where do you eat your meals?

Provide answers to the following questions. Give as many details as you can, stating if you eat your meals at home, at the university, etc., always, rarely or often.

1. Где вы за́втракаете?

_____

_____

_____

2. Где вы обе́даете?

_____

_____

_____

3. Где вы у́жинаете?

_____

_____

_____

3.   Which language(s) do you speak, understand and read?

Write about yourself and two other people you know.

> Я пло́хо чита́ю по-неме́цки.
> Моя́ подру́га хорошо́ понима́ет по-япо́нски.

_____

_____

_____

_____

4. Verb conjugation

A. Provide the full conjugation for the verb говори́ть (говори́-). (Refer to Analysis Unit II, 4, 6.)

Present Tense: Past Tense:

я_____   он_____

ты_____   она́_____

он, она́_____   оно́_____

мы_____   они́_____

вы_____   Infinitive

они́_____   _____

B. Fill in the blanks with the appropriate form of говори́ть (говори́-).

1. — Твои́ роди́тели _____ до́ма по-ру́сски?

    — Нет, они́ _____ по-неме́цки.

2. — Ты _____ по-япо́нски?

    — Я не_____, а моя́ ма́ма хорошо́ _____ и
    чита́ет по-япо́нски.

3. — Извини́те, вы _____ по-ру́сски?

    — Нет, мы _____ по-украи́нски.

5. Writing a short biography

Imagine that you have decided to apply to Moscow State University to study for a semester study program. Your biography is part of the standard application package. Write about yourself and your family.

Я _____

(your name)

Мой роди́тели _____
(where they live)

Мой па́па _____
(where he lives, if at a separate address)

Моя́ ма́ма _____
(where she lives, if at a separate address)

Ра́ньше _____
(where they lived before)

Мой па́па_____
(where he works)

Он_____
(what he does)

Моя́ ма́ма_____
(where she works)

Она́_____
(what she does)

Unit 2 Day 6

Listening

1.   Understanding the missing words

Fill in the missing words as you listen to the tape. Then repeat the complete statements out loud as you listen a second time. Pay attention to the intonational center.

1. Та́ня говори́т. Она́ говори́т по-англи́йски. Она́ _____

говори́т по-англи́йски. Она́ _____ говори́т по-англи́йски.

2. Дэ́нис понима́ет. Он понима́ет по-ру́сски. Он _____

понима́ет по-ру́сски. Он _____ понима́ет по-ру́сски.

3. Мы чита́ем. Мы чита́ем по-ру́сски. Мы _____ чита́ем

по-ру́сски. Мы _____ чита́ем по-ру́сски.

4. Они́ говоря́т. Они́ говоря́т по-ру́сски. Они́ _____

говоря́т по-ру́сски. Они́ _____ говоря́т по-ру́сски.

2.   Dictation

Write a dictation, marking the IC's.

1.   _____

_____

2.   _____

_____

Writing

3.   Vocabulary practice

Unfortunately, Та́ня left her diary open on the windowsill, and rain drops smeared some of the words. Fill them in.

Вчера́ ве́чером я _____ .

didn't work

Я _____ . Я у́жинала _____ .

relaxed   at home

Я _____ . Сего́дня у́тром я

read in English

_____ до́ма. _____

had breakfast   My friend

_____ Ми́ша сего́дня _____ .

isn't working

Мы _____ .

went for a walk in the park

Мы _____ .

had dinner in a café

4. Что вы де́лали?

Answer the following questions. Be sure to specify the place where the activities took place.

> — Что де́лала Та́ня вчера́ ве́чером?
> — Она́ у́жинала в кафе́ и чита́ла до́ма.

1. Что вы де́лали вчера́ у́тром?

_____

2. Что вы де́лали вчера́ днём?

_____

3. Что вы де́лали вчера́ ве́чером?

_____

5. Expressing location: на or в ?

(Refer to Analylis Unit II, 12, 14. See also Appendix II.)

> — Где Серге́й?
> — Он в па́рке.

1.   — Где па́па?

       — Он _____ библиоте́ке.

2.   — Где слова́рь?

       — Он _____ рюкзаке́.

3.   — Где твой друг?

         — Он _____ гараже́.

4.   — Где ва́ши роди́тели?

         — Они́ _____ да́че.

5.   — Где ча́йник?

         — Он _____ ку́хне.

6.   — Где кни́га?

         — Она́ _____ по́лке.

7.   — Где ко́шка?

         — Она́ _____ ко́мнате.

8.   — Где ру́чка?

         — Она́ _____ су́мке.

9.   — Где ча́шки?

         — Они́ _____ столе́.

10.   — Где ма́ма?

         — Она́ _____ рабо́те.

6.   Talking about yourself, your family, and your friends

Answer the following questions about yourself, your family and friends. Be sure to make the verb agree with the subject.

A.

```
                        3
      — Ваш друг рабо́тает ле́том?
        1     1      1         1
      — Да, рабо́тает./ Нет, не рабо́тает.
```

1. Ва́ша подру́га рабо́тает ле́том?

_____

2. Ва́ши роди́тели отдыха́ют ле́том?

_____

3. Вы гуля́ете ле́том?

_____

4. Ваш друг отдыха́ет ле́том?

_____

В.

> 2
> — Что ваш брат де́лает сего́дня ве́чером?
> 1   1
> — Он отдыха́ет. / Он не рабо́тает.

1. Что вы де́лаете ве́чером?

_____

2. Ва́ши роди́тели рабо́тают вечеро́м?

_____

3. Что вы де́лаете днём?

_____

4. Что вы де́лаете у́тром?

_____

Unit 2 Day 7

Listening

1. Identifying the intonational center of the sentence

A. Mark the intonation as you listen to the questions.

> 　　　　　　　　　　　　3　　　　　2
> — Та́ня живёт в Росто́ве и́ли в Москве́?
> 　　1
> — В Москве́.

1. Вы живёте в до́ме и́ли в кварти́ре?

   _____ .

2. Вы вчера́ рабо́тали и́ли отдыха́ли?

   _____ .

3. Ле́том вы рабо́таете и́ли отдыха́ете?

   _____ .

4. Вы говори́те по-неме́цки и́ли по-ру́сски?

   _____ .

5. Вы у́жинаете до́ма и́ли в рестора́не?

   _____ .

B. Listen and repeat the questions aloud.

C. Write down a short answer for each question.

D. Listen to the questions one last time, reading your answers out loud after each.

Writing

2. Expressing location

Make sure you choose the right preposition, **в** or **на**, as you answer the following questions. (Refer to Appendix II.)

> — Где фру́кты?
> — Они́ на столе́.

1. Где ча́шка?　　　　　　2. Где нож?

   _____　　_____

3. Где таре́лка?　　　　　　4. Где помидо́ры?

   _____　　_____

5.　　Где ма́сло?

_____

6.　　Где мой каранда́ш?

_____

7.　　Где моё письмо́?

_____

8.　　Где мои́ ру́чки?

_____

9.　　Где мой слова́рь?

_____

10.　　Где мой рюкза́к?

_____

3.　　Translation

Translate the following passage into Russian.

My sister is a computer programmer. She speaks English, Russian and Japanese. She used to live in Petersburg. She worked at a university there. Now she lives in Washington and works at a library. My dad is an engineer. He lives and works in Washington. I don't work. I am a student.

_____

_____

_____

_____

_____

_____

_____

_____

4.　　Writing a story

Read again what Та́ня says to her new friend as she shows her the family photographs.

Я Та́ня. Я живу́ в Москве́. Я студе́нтка. Это моя́ семья́. Это мой па́па. Он бухга́лтер. Он рабо́тает в ба́нке. Это моя́ сестра́ Ольга. Она́ журнали́стка. Она́ живёт в Москве́ и рабо́тает на телеви́дении. Это моя́ ма́ма. Она́ учи́тельница и рабо́тает в шко́ле. Это мой друг Ми́ша. Он ветерина́р и рабо́тает в кли́нике. Это моя́ подру́га Да́ша. Она́ студе́нтка и живёт в Аме́рике.

Now write a similar story about yourself, your family and your friends.

Я _____. Я живу́ _____.

Unit 2 Day 8

Listening

1.   Understanding the missing words

Complete the answers as you listen to the tape. Remember that exclamations are pronounced with IC-2. Listen and repeat.

> 3
> — Ле́том ты отдыха́ешь?
> 2   1
> — Что ты! Ле́том я <u>рабо́таю</u>.

1.   — Твой па́па рабо́тает в гости́нице?

     — Что ты! Он рабо́тает _____ .

2.   — Вы преподава́тель?

     — Что вы! Я _____ .

3.   — Вы за́втракаете в рестора́не?

     — Что вы! Я за́втракаю _____ .

4.   — Ты говори́шь по-францу́зски?

     — Что ты! Я говрю́ _____ .

5.   — Твоя́ сестра́ до́ма?

     — Что ты! Она́ _____ .

6.   — Вы отдыха́ете в шта́те Флори́да?

     — Что вы! Я отдыха́ю _____ .

Writing

2.   Identifying ownership

You are cleaning up at a picnic as some of the other guests are still eating. In order to be sure you do not throw away anybody's food, drink or utensils, ask whether or not the things you want to remove belong to them. (Refer to Analysis Unit II, 10, 11)

> 2   3
> — Чьи э́то ви́лки?   — Это ва́ша ча́шка?
> — Это их ви́лки.   — Нет, э́то её ча́шка.

Reference words: cups, forks, knives, spoons, tomatoes, sausage, cheese, bread, bananas, oranges

1. _____   2. _____

   _____   _____

3. _____   4. _____

   _____   _____

5. _____   6. _____

   _____   _____

3.   Translation

Translate a page from Дэнис's diary into Russian.

Washington, DC

Yesterday I relaxed. I had lunch in a café and took a walk. In the evening I read in Russian. I read Russian well. I speak Russian poorly. Today I'm not relaxing. I worked at the library. I had dinner at home.

_____

_____

_____

_____

_____

_____

_____

_____

4.   **Ваш дом/ ва́ша кварти́ра**

Write a short paragraph about your house or apartment. Describe the rooms as well as what is in each room and provide commentary along the way (По-мо́ему, тут хорошо́! etc.).

_____

_____

_____

_____

_____

_____

_____

_____

Unit III Workbook
Warm-up
<u>Listening</u>

1. **Cardinal numerals**

A. Listen, repeat and memorize the numerals from 11 to 20.

11 - одúннадцать /адⁱ йнаццатⁱ /

12 - двенáдцать /двⁱинáццатⁱ /

13 - тринáдцать /трⁱинáццатⁱ /

14 - четы́рнадцать /читы́рнаццатⁱ/

15 - пятнáдцать /пⁱитнáццатⁱ/

16 - шестнáдцать /шыснáццатⁱ/

17 - семнáдцать /сⁱимнáццатⁱ /

18 - восемнáдцать /васⁱимнáццатⁱ /

19 - девятнáдцать /дⁱивⁱитнáццатⁱ /

20 - двáдцать /двáццатⁱ/

B. Cover the numbers and transcriptions and practice reciting the numerals out loud at least three times.

2. **Irregular plurals**

Several Russian nouns have an irregular plural form. Some of the more commonly used examples are:

человéк (person)	лю́ди (people)
ребёнок (child)	дéти (children)
друг (friend)	друзья́ (friends)
брат (brother)	брáтья (brothers)
стул (chair)	сту́лья (chairs)

<u>Writing</u>

3. **Using irregular plural forms**

A. Transform the following sentences from the singular to the plural:

Вот мой друг. ⇒ Вот мои друзья́.

1. Чей э́то ребёнок? _____

2. Здесь живёт наш друг._____

3. Человéк мнóго рабóтает._____

4. Твой брат тут? _____

5. Это мой стул. _____

B. Transform the following sentences from the plural to the singular.

Это ва́ши сту́лья? - Это ваш стул?

1. На́ши друзья́ ма́ло отдыха́ют. _____

2. Их де́ти мно́го чита́ют. _____

3. Где рабо́тают твои́ бра́тья? _____

4. Лю́ди там не живу́т. _____

5. Это не на́ши сту́лья. _____

4. Cardinal Numerals

Connect the dots in the order indicated to reveal the name of a 19-th century Russian artist.

5.　.16　　во́семь ⇒ оди́н ⇒ пять ⇒ шестна́дцать ⇒ двена́дцать ⇒
1.　.12　　оди́н;
8.

2.　.13　　два ⇒ трина́дцать; де́сять ⇒ семь; девятна́дцать ⇒ три;
19.　.3　　два ⇒ де́сять;
10.　.7

11.　.4　　два́дцать ⇒ оди́ннадцать ⇒ четы́ре ⇒ шесть;

20.　.6

17.　.15　　семна́дцать ⇒ трина́дцать ⇒ пятна́дцать ⇒ де́вять;

13.　.9

14.　.11　　восемна́дцать ⇒ девятна́дцать ⇒;
18.　.19　　четы́рнадцать ⇒ во́семь;
8.　.20　　оди́ннадцать ⇒ два́дцать.

5. New vocabulary

A. Что э́то? Write the appropriate names for the items of clothing pictured below:

_____ _____ _____

_____ _____ _____

_____ _____ _____

Reference words: майка — t- shirt   ко́фта — woman's top
  шарф — scarf   ту́фли — shoes
  ю́бка — skirt   брю́ки — pants
  пла́тье — dress   руба́шка — shirt
  кроссо́вки — sneakers

B. List the items of clothing you are wearing now.

_____

What do you plan to wear tomorrow?_____

Before you go to the next class, skim through the questions in the textbook for Unit 3, Day 1 to get a general idea of what will happen in the next episode of the video.

Unit 3 Day 1
Listening

1. **Recognizing salutations**

A. Listen how different people greet each other and say goodbye. Fill in the missing words.

Decreasing level of formality

Formal	Informal
Здра́вствуйте + first name + patronymic Здра́вствуйте + first name	Приве́т + first name
До свида́ния + first name + patronymic До свида́ния + first name	Пока́ + first

1. — _____, Ве́ра Ива́новна!

   — _____, Бори́с Петро́вич.

2. — _____, Ка́тя!

   — _____, Серге́й!

3. — Ой, извини́. Я опа́здываю. _____!

   — _____!

4. — _____, Макси́м.

   — _____, Ната́ша.

5. — _____, Влади́мир Никола́евич!

   — _____, Еле́на Серге́евна! До за́втра!

6. — _____, Ира!

   — _____!

B. Who spoke to each other formally and who spoke informally? List the numbers of the exchanges from exercise 1 under the corresponding categories.

formal   informal

_____   _____

C. Listen and repeat.

Writing

2.   Patronymics

Form the patronymics of the following people:

> пáпа: Борис
> дóчка: Людмила <u>Борисовна</u>
> сын: Владимир <u>Борисович</u>

1. пáпа: Валентин

   сын: Олéг _____   он: father's name +ов/ев+ич

   дóчка: Ирина _____   она: father's name +ов/ев+на

2. пáпа: Максим   If the father's name

   сын: Михайл _____   ends in **й**, the patronymic

   дóчка: Елéна _____   suffix will be **-ев**;

                                            й + ев = йев ⇒ ев

3. пáпа: Алексáндр   Сергéй + ев ⇒ Сергéевич

   сын: Андрéй _____

   дóчка: Марина _____

4. пáпа: Ивáн

   сын: Алексéй _____

   дóчка: Ольга _____

5. пáпа: Николáй

   сын: Игорь _____

   дóчка: Нина _____

6. пáпа: Андрéй

   сын: Алексáндр _____

   дóчка: Натáлья _____

3.   Cardinal numerals: spelling
Fill in the missing letters. (Refer to Appendix IV)

оди́н____адцать   шес____на́дцать

чет____´рнадцать   дев____тна́дцать

п____тна́дцать   вос____мна́дцать

два́____цать   семна́____цать

4.   Cardinal numerals: counting
Fill in the blanks with the missing numerals and count back from 20 to 10 from memory.

де́сять   _____

о_____   _____

двена́дцать   восемна́дцать

тр_____   _____

четы́рнадцать   два́дцать

п_____

Unit 3 Day 2
Listening

1.   Adjectives

Students in a dormitory are getting dressed for a party. Listen to their conversations and circle the adjectives they use. Then listen and repeat.

1.   — Где мои́ но́вые/ста́рые джи́нсы?

— Вот они́.

2.   — Где моё чёрное/кра́сное пла́тье?

— Я не зна́ю.

3.   — Ты не зна́ешь, где мой но́вый/ста́рый сви́тер?

— Он вон там.

4.   — А где твои́ голубы́е/зелёные шо́рты?

— Я не зна́ю.

5.   — Где моя́ бе́лая/жёлтая ма́йка?

— Вон она́.

6.   — А где моя́ но́вая/ста́рая ю́бка?

— Она́ вон там.

Writing

2.   Vocabulary practice

A. Translate the following words.

hotel _____   girl-friend _____

dress _____   city _____

building _____   daughter _____

cat _____   friends _____

child _____

B. Use the words from part A to complete the text below.

Москва́ - большо́й и интере́сный _____.

Вот но́вая _____. Здесь рабо́тает моя́ хоро́шая

_____ Ири́на Серге́евна. Она́ ча́сто рабо́тает ве́чером.

А вот ста́рое краси́вое _____.

Здесь живу́т мои́ _____: Серге́й и его́ ма́ленькая

_____ Аня. Аня мно́го гуля́ет. Она́ говори́т: «Ой, како́й

смешно́й _____! Ой, како́е дли́нное

_____! Ой, кака́я больша́я _____!»

3. Adjectives: antonyms

You have a part-time job in a library.

A. Answer these questions in the negative.

> — Это <u>ста́рый</u> слова́рь?
> — Нет, <u>но́вый</u>.

1. Это ста́рые газе́ты?

_____

2. Это интере́сная кни́га?

_____

3. Это но́вый журна́л?

_____

4. Это хоро́шая газе́та?

_____

5. Это но́вые ка́рты?

_____

6. Это интере́сные статьи́?

_____

B. Answer the questions.

> — Это смешна́я или серьёзная кни́га?
> — По-мо́ему, э́то серьёзная кни́га.

1. Это хоро́ший или плохо́й журна́л?

_____

2. Это но́вые или ста́рые газе́ты?

_____

3. Это хоро́шая или плоха́я ка́рта?

_____

4. Это но́вый или ста́рый слова́рь?

_____

5. Это интере́сная или неинтере́сная статья́?

_____

4. What are you going to wear?

Build three outfits from the following lists of nouns and adjectives.

> бе́лый сви́тер, чёрные джи́нсы

джи́нсы	кра́сный	Do not forget to make
пла́тье	бе́лый	the adjective agree with the
шо́рты	голубо́й	noun!
ма́йка	жёлтый	
сви́тер	зелёный	
ю́бка	ора́нжевый	
ко́фта	чёрный	
шарф	се́рый	

Outfit #1

_____

_____

_____

Outfit # 2

_____

_____

_____

Outfit #3

_____

_____

_____

Unit 3 Day 3
Listening

1. **Recognizing numbers**

Listen to the following conversations and fill in the missing numbers. Be sure to write them out! (Refer to Appendix IV)

1. — Скажи́те, пожа́луйста, э́то дом но́мер _____?

   — Нет, э́то дом но́мер _____.

   — Спаси́бо.

2. — Извини́те, где здесь кварти́ра но́мер _____?

   — Кварти́ра но́мер _____?

   — Нет, но́мер _____.

   — Вон там.

   — Спаси́бо.

3. — Я живу́ в до́ме но́мер _____.

   — В до́ме но́мер _____?

   — Нет, но́мер _____.

4. — Вы не зна́ете, где живёт Ольга Андре́евна?

   — В до́ме но́мер _____.

   — В до́ме но́мер _____?

   — Нет, _____.

   — Спаси́бо.

Writing

2. Expressing comparisons

Fill in the missing part of the comparison. (Refer to Analysis Unit III, 3, 4)

> Этот свитер голубой, а _____. ⇒
> Этот свитер голубой, а тот свитер белый.

1. Эта книга испанская, а _____.

2. Этот фильм американский, а _____.

3. Эти туфли большие, а _____.

4. Это платье хорошее, а _____.

5. Эта юбка красная, а_____.

6. _____ , а та собака белая.

7. _____ , а те кроссовки некрасивые.

8. _____ , а тот шарф чёрный.

9. _____ , а те стулья новые.

10. _____ , а тот ресторан русский.

3. Vocabulary practice

Таня went to the White Turtle Club to interview several talented young writers.
Some club members seemed to be quite strange: Таня received a letter from one writer in which all of the adjectives were in English! Read the letter and translate the adjectives into Russian.

Здравствуйте!

Я_____ писатель, _____
      Russian   French

поэт и _____композитор. Утром я гуляю в
               German

зоопарке и много думаю по-французски. Днём я читаю по-русски. Вечером я

отдыхаю на диване и говорю по-немецки. Отлично! Мой _____
                                                                   old red

_____ брюки в гараже.

Моя_____ соба́ка в Аме́рике.

               beautiful black

И, вы зна́ете, мои́ книги́ о́чень _____.

                                     delicious

Пра́вда! Я живу́ в до́ме но́мер девятна́дцать.

Како́й ваш са́мый _____ рестора́н?

                       favorite

                      До свида́ния,

                      Ваш _____ друг, Аполло́н

                             new

4. Superlative form of adjectives

Answer the following questions using the appropriate form of **са́мый**.

     — Как ты ду́маешь, э́то интере́сная кни́га?
     — По-мо́ему, э́то са́мая интере́сная кни́га в библиоте́ке.

1. Как ты ду́маешь, э́то краси́вая ма́йка?

_____ в магази́не.

2. Как ты ду́маешь, э́то ста́рые джи́нсы?

_____ в ми́ре.

3. Как ты ду́маешь, э́то большо́е общежи́тие?

_____ в университе́те.

4. Как ты ду́маешь, э́то интере́сный фильм?

_____ в ми́ре.

5. Как ты ду́маешь, э́то ма́ленький рюкза́к?

_____ в магази́не.

6. Как ты ду́маешь, э́то хоро́шее кафе́?

_____ в Москве́.

7. Как ты ду́маешь, э́то хоро́шая больни́ца?

_____ в го́роде.

5. Vocabulary practice

When Дэнис can't sleep he doesn't just count sheep to put himself to sleep:
he thinks of a Russian noun and combines it with an adjective. He says it works wonders!
Do you want to try his method? If you are not asleep by the end of the exercise,
think of another dozen Russian nouns and combine them with the following adjectives!

Nouns:

у́жин, пла́тье, челове́к, бра́тья, рабо́та, окно́, сестра́, де́ти, сыр,
письмо́, кафе́, кассе́ты, за́втрак, кроссо́вки, ю́бка, друзья́, общежи́тие,
лю́ди, шо́рты, сту́лья, фильм, ве́щи

Adjectives:

симпати́чный, ста́рый, смешно́й, молодо́й, энерги́чный, весёлый,
стра́нный, дли́нный, коро́ткий, мо́дный, немо́дный, краси́вый, плохо́й,
неплохо́й, хоро́ший, вку́сный, невку́сный, интере́сный, неинтере́сный,
францу́зский, зелёный, англи́йский, ру́сский

_____

_____

_____

_____

_____

_____

_____

_____

Unit 3 Day 4
Listening

1. **Expressing disagreement**

Listen to conversations in which people disagree with each other and fill in the missing words. Then listen and repeat. Pay attention to IC-2 exclamations.

1. — По-мо́ему, твоя́ ю́бка о́чень дли́нная.

   — Что ты! Она́ _____.

2. — По-мо́ему, твои́ кроссо́вки о́чень ста́рые.

   — Что ты! _____.

3. — Твоё пла́тье о́чень мо́дное.

   — _____ По-мо́ему, _____.

4. — Вот э́тот сви́тер са́мый краси́вый.

   — _____ По-мо́ему, _____.

5. — Вот э́тот журна́л о́чень смешно́й.

   — _____.

6. — По-мо́ему, э́тот фильм о́чень коро́ткий.

   — _____.

7. — Этот сала́т о́чень невку́сный.

   — _____.

8. — Эта студе́нтка ру́сская.

   — _____.

9. — Вы америка́нец?

— _____.

Writing

2.   Verb conjugation
Give the full congugation of the verb **хоте́ть**. (Refer to Analysis Unit III, 8)

Present Tense   Past Tense

я _____   он _____

ты_____   она́_____

он, она́_____   оно́_____

мы_____   они́_____

вы _____

они_____

3.   Verb practice: хоте́ть
People disagree about all sorts of things! Complete the following sentences using the approprate form of the verb **хоте́ть**.

> Я хочу́ говори́ть по-англи́йски, а моя́ сестра́ _____. ⇒
>
> Я хочу́ говори́ть по-англи́йски, а моя́ сестра́ хо́чет говори́ть
> по-испа́нски.

1. Я хочу́ жить в кварти́ре, а мой друг _____

_____.

2. Анна Бори́совна хо́чет отдыха́ть зимо́й, а Ви́ктор Степа́нович _____

_____.

3. Роди́тели хотя́т чита́ть, а де́ти _____

_____.

4. Вы хоти́те гуля́ть, а мы _____

_____.

5. Моя́ подру́га хоте́ла жить в шта́те Джо́ржия, а её бра́тья _____

_____ .

6. Мой друзья́ хоте́ли рабо́тать ле́том, а их подру́ги _____

_____ .

7. Та́ня хоте́ла говори́ть по-ру́сски, а Да́ша _____

_____ .

8. Ле́на хо́чет чита́ть в библиоте́ке, а Са́ша _____

_____ .

9. Эти лю́ди хотя́т жить в Нью-Йо́рке, а те лю́ди _____

_____ .

4. Describing people

Complete the sentences using adjectives on the right.

1. Мой друзья́ _____		энерги́чный
		симпати́чный
2. Мой брат_____		весёлый
3. Моя́ подру́га_____	о́чень	смешно́й
	не о́чень	стра́нный
4. Мой друг_____		хоро́ший
5. Моя́ сестра́_____		плохо́й
6. Мой роди́тели_____		серьёзный
7. Я _____		

5. Cardinal numerals

Write out the following numbers. Mark stress. (Refer to Appendix IV.)

5 : _____

15: _____

6: _____

16: _____

7: _____

17: _____

8: _____

18: _____

9: _____

19: _____

Unit 3 Day 5
Listening

1.   Intonation in enumeration

The following sentences are examples of enumeration, or listing items. Mark the ICs and then check yourself against the answer key. Listen and repeat.

1. — Где вы жи́ли в Росси́и?

    — В Москве́, в Петербу́рге и в Но́вгороде.

2. — Когда вы жи́ли в Москве́?

    — В ма́е, в ию́не и в ию́ле.

3. — Где вы рабо́тали?

    — В магази́не, в кафе́ и в библиоте́ке.

Remember, that enumerations are usually pronounced with combinations of IC-3, and IC-1: 3, 3, 1

4. — Когда́ вы рабо́тали в магази́не?

    — В сентябре́, в октябре́ и в ноябре́.

5. — Како́й са́мый краси́вый цвет?

    — Чёрный, бе́лый и кра́сный.

6. — Ну, как твой но́вый друг?

    — Он хоро́ший, весёлый и энерги́чный.

2.   Months of the year

A. Listen to the months of the year in the nominative and prepositional case and insert stress marks. Put a check beside the months which have end stress in the prepositional case. (Refer to Analysis Unit III, 6.)

1.   ноя́брь - в ноябре́

2.   ию́нь - в ию́не

3.   март - в ма́рте

4. январь - в январе

5. сентябрь - в сентябре

6. август - в августе

7. июль - в июле

8. декабрь - в декабре

9. май - в мае

10. октябрь - в октябре

11. апрель - в апреле

12. февраль - в феврале

B. Listen and repeat.

3. Dictation
Mark stress and ICs as you write out the dictation.

1. _____

_____

2. _____

_____

Writing

4. Using demonstrative pronouns
Fill in the blanks using the correct form of **этот/тот**. (Refer to Analysis Unit III, 3, 5.)

<u>этот</u>

1. Я живу́ в <u>э́той</u> ко́мнате.

2. Мои́ друзья́ ча́сто у́жинают

   в _____ кафе́.

3. Ви́ктор Степа́нович жил

   в _____ гости́нице.

4. Анна Бори́совна рабо́тает

   в _____ шко́ле.

<u>тот</u>

1. Мы живём в <u>том</u> до́ме.

2. Ле́на живёт в _____общежи́тии.

3. Ты обе́дал в _____ рестора́не?

4. Мой брат рабо́тает в _____

   больни́це.

5. Я отдыха́ю в _____ ко́мнате.

5. Вы всегда гуляете в _____ парке?   6. Виктор Степанович работает

6. Раньше мы жили в _____ доме.   в _____ здании.

5.   Asking questions

Today is your first day at work, and as a newcomer you have a lot of questions. (Refer to Analysis Unit III, 5). Ask...

— if your new office is in that room

_____

— if the cafeteria is in this building

_____

— if the person you are talking to often has lunch in that cafeteria

_____

— if the person over there works in your laboratory

_____

— if those people live in this city

_____

— if the person you are talking to used to live in France

_____

— if the computer in your room is new

_____

6.   What do you want?

Write your three greatest wishes.

Я хочу жить в Петербурге.

_____

_____

_____

Unit 3 Day 6

Listening

1. **Recognizing first names**

You are people watching at a party and overhear some conversations. Fill in the missing names as you listen. Listen and repeat.

1. — Извини́те пожа́луйста, как вас зову́т?

   — _____. А как вас зову́т?

   — _____.

   — Очень прия́тно.

   — Очень прия́тно.

   Remember that masculine nicknames often end in **-a** and look like feminine nouns. Compare with: **мой па́па**

2. — Приве́т, _____.

   — Приве́т, _____. Познако́мься пожа́луйста. Это моя́ подру́га _____.

   — Очень прия́тно.

   — Очень прия́тно.

3. — Здра́вствуйте. Меня́ зову́т _____. А как вас зову́т?

   — Меня́ зову́т _____. Или _____.

   — Очень прия́тно.

   — Очень прия́тно.

4. — Здра́вствуйте! Как вас зову́т?

   — Меня́ зову́т _____ . А как вас зову́т?

   — _____ . Очень прия́тно.

   — Очень прия́тно.

5. — Познако́мьтесь!

   — Здра́вствуйте! Меня́ зову́т _____. А как вас зову́т?

   — А я _____. Очень прия́тно.

   — Очень прия́тно.

Reference names:

First name	Nickname	First name	Nickname
Михаи́л	Ми́ша	Татья́на	Та́ня
Никола́й	Ко́ля	Со́фья	Со́ня
Фёдор	Фе́дя	Еле́на	Ле́на
Алекса́ндр	Са́ша	Мари́я	Ма́ша
Серге́й	Серёжа	Ната́лья	Ната́ша
Дми́трий	Ди́ма	Да́рья	Да́ша

Writing

2.   Verb practice: хоте́ть

Answer the following questions in full sentences. (Refer to Analysis Unit III, 7, 8.)

> — Вы хоти́те жить в Петербу́рге?
> — Да, я хочу́ жить в Петербу́рге./
>   Нет, я не хочу́ жить в Петербу́рге.

1. Да́ша хо́чет говори́ть по-англи́йски?

_____

2. Дэ́нис хо́чет жить в э́той кварти́ре?

_____

3. Ми́ша хо́чет рабо́тать в кли́нике?

_____

4. Вы хоти́те рабо́тать в Москве́?

_____

5. Ва́ши роди́тели хотя́т жить в Росси́и?

_____

6. Вы хоти́те жить в общежи́тии?

_____

3.   Agreement: adjectives and nouns

Using the adjectives on the right choose 5 presents you would like for your birthday.

1._____
2._____
3._____
4._____
5._____

но́вый - ста́рый
краси́вый - некраси́вый
мо́дный - немо́дный
дли́нный - коро́ткий
большо́й - ма́ленький
стра́нный
смешно́й - серьёзный
кра́сный
чёрный
бе́лый
голубо́й
жёлтый
зелёный

## 4.	Using the prepositional case

Complete the following sentences by putting the provided phrases in the prepositional case.
(Refer to Analysis Unit III, 5.)

Са́ша рабо́тает в Москве́. Ра́ньше он рабо́тал <u>в на́шем го́роде.</u>

1. Сейча́с Да́ша живёт в общежи́тии. Ра́ньше она́ жила́

_____   эта гости́ница

2. Ра́ньше Анна Бори́совна рабо́тала в той шко́ле. Сейча́с она́
рабо́тает

_____   на́ша шко́ла

3. Сейча́с Дэ́нис живёт в Москве́. Ра́ньше он жил

_____   наш го́род

4. Сейча́с Ле́на рабо́тает в той библиоте́ке. Ра́ньше она́
рабо́тала

_____   на́ша библиоте́ка

5. Сейча́с Та́ня и Оля живу́т в э́том до́ме. Ра́ньше они́ жи́ли

_____   наш дом

Unit 3 Day 7

Listening

1. **Listening comprehension**

A. Listen to Та́ня's classmate Гали́на describe herself at least two times.

B. Mark the following statements as true/ false.

1. Гали́на хо́чет рабо́тать в газе́те.	да/ нет
2. Ра́ньше Гали́на жила́ в Ми́нске.	да/ нет
3. Ра́ньше Алекса́ндр Миха́йлович рабо́тал в гости́нице.	да/ нет
4. Ири́на Влади́мировна рабо́тала в больни́це.	да/ нет
5. Ма́ма о́чень мно́го рабо́тает.	да/ нет
6. Па́па ле́том живёт в Москве́.	да/ нет
7. В ию́не Гали́на живёт на да́че.	да/ нет
8. Гали́на хорошо́ говори́т по-францу́зски.	да/ нет

C. Refer to the answer key and read Гали́на's story out loud.
Record your reading and compare it with the original.

Writing

2. **Identifying your belongings**

You have forgotten one of your things in the locker room. Go to the "Lost and Found" and point out the item to the person working there.

```
— Это мои́ ту́фли.
— Каки́е?
— Вот э́ти, бе́лые.
```

1. — Это _____ шарф.

— Како́й?

— Вот _____ .

2. — Это _____ ко́фта

— Кака́я?

— Вот _____ .

3. — Это _____ пла́тье.

— Како́е?

— Вот _____ .

4. — Это _____ ю́бка.

— Кака́я?

— Вот _____ .

5. — Это _____ су́мка.   6. — Это _____ ша́пка.

— Кака́я?   — Кака́я?

— Вот _____.   — Вот _____.

7. — Это _____ ту́фли.   8. — Это _____ рюкза́к.

— Каки́е?   — Како́й?

— Вот _____.   — Вот _____.

3. **Translation**

1. — Do you happen to know where the hospital is?

    — I think it is in that building.

    _____

    _____

2. — These white shoes are ugly!

    — What are you talking about! They are beautiful!

    _____

    _____

3. My friend Да́ша is young and very nice. Now she lives in our dormitory. This is the biggest dormitory in our university. Her favorite course is English.

    _____

    _____

    _____

    _____

    _____

4. — You are speaking German. Are you German?

    — No, I'm American. My mom is German and my dad is French. I speak English, German and French.

Unit 3 Day 8

Listening

1.   Memorizing a dialog

A. Listen to the following dialog from the video several times. Memorize it.

	2 2
Та́ня:	— Приве́т, па́па. Как дела́?
	1 2
Па́па:	— Норма́льно. А где твой америка́нец?
	3 1
Та́ня:	— Дэ́нис? Он до́ма.
	2 3
Ма́ма:	— Ну, как он, симпати́чный?
	2 2 2
Та́ня:	— Очень симпати́чный. Энерги́чный, весёлый.
	4
Ма́ма:	— Он молодо́й?
	1 1
Та́ня:	— Да, не ста́рый.
	2
Ма́ма:	— А кто он?
	1 2
Та́ня:	— Он фото́граф. Смешно́й!
	2
Па́па:	— А в Аме́рике где он живёт?
	1 3 1
Та́ня:	— Я то́чно не зна́ю. По-мо́ему, в Вашингто́не.

B. Record dialog as you have memorized it and compare it with the original.

Writing

2.   Ваш дом/ва́ша кварти́ра

Describe the place where you live. Use as many adjectives as you can. Is it a small house? A dormitory? A big apartment? What is there in your room? Do you share your place with someone else? What do you usually do in the evening and on the weekends?

_____

_____

_____

_____

_____

_____

_____

3. Writing a letter

Below is a part of the letter that Лéна received. The young woman who wrote the letter lives in a small town in Siberia and feels a little lonely there. She would like to have a pen pal from a big city.

Write a similar letter to your Russian pen pal (6-8 sentences), telling him where you live, what you like to do, what languages you speak, etc.

Меня́ зову́т Ка́тя Си́монова. Я учи́тельница. Я рабо́таю в шко́ле. Ра́ньше я жила́ во Владивосто́ке, а сейча́с я живу́ в Би́йске. Наш го́род о́чень ма́ленький. В ию́ле и в а́вгусте шко́ла не рабо́тает. Я то́же не рабо́таю. Я отдыха́ю, гуля́ю, мно́го чита́ю. По-мо́ему, са́мая интере́сная страна́ — США. Там живу́т америка́нцы, испа́нцы, ру́сские, япо́нцы... Я немно́го понима́ю по-англи́йски. Я хочу́ говори́ть по-англи́йски. Мой са́мый люби́мый писа́тель — Лев Толсто́й. Мой люби́мый компози́тор — Вива́льди. Са́мый краси́вый цвет, по-мо́ему, зелёный.

_____

_____

_____

_____

_____

_____

_____

4.   Counting

Write out the numbers 1-20. Read them in order out loud and then, from memory, count backwards from 20.

_____

_____

_____

_____

_____

_____

Unit IV Workbook
Warm-up
<u>Writing</u>

1. **Ordinal numerals**

A.

cardinal numeral	оди́н	два	три	четы́ре	пя́ть
ordinal numeral	first	second	third	fourth	fifth
masculine	пе́рвый	второ́й	тре́тий	четвёртый	пя́тый
feminine	пе́рвая	втора́я	тре́тья	четвёртая	пя́тая
neuter	пе́рвое	второ́е	тре́тье	четвёртое	пя́тое

cardinal numeral	шесть	семь	во́семь	де́вять	де́сять
ordinal numeral	sixth	seventh	eighth	ninth	tenth
masculine	шесто́й	седьмо́й	восьмо́й	девя́тый	деся́тый
feminine	шеста́я	седьма́я	восьма́я	девя́тая	деся́тая
neuter	шесто́е	седьмо́е	восьмо́е	девя́тое	деся́тое

пе́рвый эта́ж	= the first floor
пе́рвая ле́кция	= the first lecture
пе́рвое письмо́	= the first letter

As you see from the charts, ordinal numbers function just like adjectives.

Ordinal numerals can also be used with possessive pronouns:

my first lecture   =   моя́ пе́рвая ле́кция

B. Fill in the blanks with the correct ordinal numerals.

(first)

мой _____ фильм

моя́ _____ кни́га

моё _____ письмо́

(second)

мой _____ костю́м

моя́ _____ соба́ка

моё _____ пла́тье

(third)

мой _____ слова́рь

моя́ _____ маши́на

моё _____ письмо́

(fourth)

мой _____ фильм

моя́ _____ ле́кция

моё _____ пла́тье

C.

_____ дом		_____ окно́	
fifth		sixth	
_____ ка́рта		_____ челове́к	
ninth		tenth	
_____ общежи́тие		_____ ко́мната	
eighth		fifth	
_____ кварти́ра		_____ ребёнок	
seventh		sixth	
_____ ле́кция		_____ письмо́	
eighth		ninth	

D. Form ordinal numerals from the following cardinal numerals:

оди́ннадцать - оди́ннадцат**ый** авто́бус (i.e. авто́бус но́мер 11)

двена́дцать - двена́дцат**ая** кварти́ра (i.e. кварти́ра номер 12)

трина́дцать - трина́дцат_____ эта́ж

четы́рнадцать - четы́рнадцат_____ дом (дом но́мер 14)

пятна́дцать - пятна́дцат_____ общежи́тие (общежи́тие но́мер 15)

шестна́дцать - шестна́дцат_____ шко́ла (шко́ла но́мер 16)

семна́дцать - семна́дцат_____ ко́мната (ко́мната но́мер 17)

восемна́дцать - восемна́дцат_____ эта́ж

девятна́дцать - девятна́дцат_____ больни́ца (больни́ца но́мер 19)

два́дцать - двадца́т_____ челове́к (_note the stress shift!_)

Before you go to the next class, skim through the questions in the textbook for Unit 4, Day 1 to get a general idea of what will happen in the next episode of the video.

Unit 4 Day 1

Listening

1. **Recognizing ordinal numerals**

A. Listen to the following sentences and fill in the missing ordinal numerals. (Refer to Appendix IV)

1. Это _____ этáж.

2. Вот _____ автóбус.

3. Где здесь _____ квартúра?

4. Вы не знáете, где _____ общежúтие?

5. Сегóдня нáша _____ лéкция.

6. Вот _____ кóмната.

7. Это наш _____ дом.

8. А где твоя́ _____ машúна?

9. Это _____ úли _____ этáж?

B. Listen and repeat the sentences aloud. Pay attention to the reduction of the unstressed **e**: четвёртый /читвᵇóртый/, шестóй /шыстóй/, седьмóй /сᵇидᵇмóй/, девя́тый /дᵇивᵇя́тый/, деся́тый /дᵇисᵇя́тый/.

2. **Ordinal numerals**

Listen to the following conversations and fill in the missing words.

1. — Извинúте, где здесь _____ квартúра?

   — Вон там.

   — Спасúбо.

2. — Скажúте, пожáлуйста, э́то _____ автóбус?

   — Нет, _____.

   — Спасúбо.

3. — Извини́те, како́е это общежи́тие?

— _____ .

— Вы не зна́ете, где _____общежи́тие?

— Там.

— Спаси́бо.

4. — Извини́те, э́то _____эта́ж?

— Нет, _____ .

— Спаси́бо.

Writing

3. Patronymics and last names

Fill in the first name, patronymic and last name of the people below. (Refer to Analysis Unit III, 9.)

	Ви́ктор Ви́кторович Лео́нтьев
его́ жена́:	Тама́ра Серге́евна *Лео́нтьева*
его́ сын:	Игорь *Ви́кторович Лео́нтьев*

1. Ольга Семёновна Ники́тина

её муж: Пётр Петро́вич _____

её до́чка: Еле́на _____

2. Михаи́л Серге́евич Мака́ров

его́ па́па: _____ Васи́льевич Мака́ров

его жена́: Анна Фёдоровна _____

его́ сестра́: Татья́на _____

3. Гали́на Ива́новна Ры́жикова

её сын: Никола́й Ви́кторович _____

её муж: _____ Петро́вич _____

её до́чка: Мари́на _____

4. **Где вы бы́ли?**

Complete the following sentences based on your own life. (Refer to Analysis Unit IV, 9)

1. Утром я <u>был(á) в университéте</u>.

2. Вчерá вéчером я _____.

3. Лéтом мои́ роди́тели _____.

4. Лéтом я _____.

5. Днём моя́ подру́га _____.

6. В сентябрé мой друг _____.

5. **Word puzzle**

Unscramble these syllables to create words. Mark stress.

1. то-ав-бус   _____

2. те-биб-ка-о-ли   _____

3. тер-брод-бу   _____

4. спра-ть-ва-ши   _____

5. ка-вы-став   _____

6. рес-ин-ный-те   _____

7. лист-жур-ка-на   _____

8. бе-ть-о-да   _____

9. ёз-серь-ный   _____

10. ви-те-зор-ле   _____

Unit 4 Day 2
Listening

1.   Practicing IC-3

A. Listen and repeat. Notice that the answer depends on the placement of IC-3 in the question.

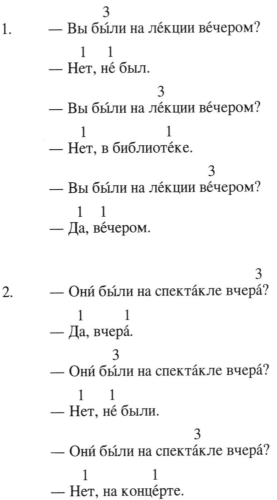

1. —   Вы бы́ли на ле́кции ве́чером?

— Нет, не́ был.

— Вы бы́ли на ле́кции ве́чером?

— Нет, в библиоте́ке.

— Вы бы́ли на ле́кции ве́чером?

— Да, ве́чером.

2. — Они́ бы́ли на спекта́кле вчера́?

— Да, вчера́.

— Они́ бы́ли на спекта́кле вчера́?

— Нет, не́ были.

— Они́ бы́ли на спекта́кле вчера́?

— Нет, на конце́рте.

B. Listen to the questions below and place IC-3 over the intonational center.

3 a.   — Ва́ша семья́ была́ в Калифо́рнии ле́том?

_____

b.   — Ва́ша семья́ была́ в Калифо́рнии ле́том?

_____

4 a.　— Твоя́ подру́га была́ в Росси́и в а́вгусте?

_____

b.　— Твоя́ подру́га была́ в Росси́и в а́вгусте?

_____

5 a.　— Вы бы́ли до́ма ле́том?

_____

b.　— Вы бы́ли до́ма ле́том?

_____

C. Provide the answers to the above questions based on your own life. Your responses should reflect the placement of IC-3 in the questions.

Writing

2.　Prepositional case of adjectives

Use the provided adjectives to answer the following questions.
(Refer to Analysis Unit IV, 4.)

1. В како́м до́ме вы живёте?　　большо́й, ма́ленький, не о́чень большо́й, но́вый

_____

2. В како́м го́роде вы живёте?　　небольшо́й, краси́вый, о́чень большо́й, ста́рый

_____

3. В како́м райо́не живу́т ва́ши роди́тели?　　краси́вый, но́вый, ста́рый, хоро́ший

_____

4. В како́м рестора́не вы ча́сто у́жинаете?　　америка́нский, италья́нский, францу́зский, ру́сский, кита́йский (Chinese)

5. В какóй кварти́ре живýт вáши друзья́?

больша́я, ма́ленькая, ужа́сная, хоро́шая

6. На какóм этажé они́ живýт?

пéрвый, второ́й, трéтий ...

3. Ordinal numerals

You are the leader of a group of Russian exchange students that has just arrived in the United States. Make a list of who lives in which room. (Refer to Analysis Unit IV, 4.)

Лéна и Мáша живýт на пéрвом этажé в пéрвой кóмнате.

общежи́тие

4 этáж	кóмната 18 Мари́на	кóмната 19 Ира
3 этáж	кóмната 16 Натáша	кóмната 14 Оля
2 этáж	кóмната 10 Сáша, Ди́ма	кóмната 9 Пéтя
1 этáж	кóмната 2 Кáтя	кóмната 1 Лéна, Мáша

1._____

2._____

3._____

4._____

5._____

6._____

7._____

4. Vocabulary practice

Fill in the blanks with the indicated words and then read the story out loud. (Refer to Analysis Unit III, 11.)

Джим Ко́ллинз — америка́нец. Он журнали́ст. Он живёт в

_____ и рабо́тает в газе́те.

         California

В _____ и в _____ он жил в _____.

   April   May   Russia

Он жил в Москве́, в _____,

         big new hotel

на _____ .

         twelfth floor

Джим рабо́тал в _____ газе́те. Он мно́го чита́л и говори́л

         Russian

_____. Он обе́дал и у́жинал в _____

   in Russian   a good Russian

_____ рестора́не. Он был в музе́е_____

         Bat an interesting exhibition

гуля́л _____па́рке.

         old green

Он был _____ Байка́ле и _____ Ура́ле.

   at   in

Unit 4 Day 3

Listening

1.   **Listening comprehention**

A. While living in the US, Даша met a Russian woman and her family. Listen to the description of Ольга Васильевна and her family at least two times.

B. Mark the following statements as true or false.

1. Ольга Васильевна работает в японском ресторане.   да/ нет

2. Ольга Васильевна и её муж живут на третьем этаже.   да/ нет

3. Они живут в Нью-Йорке.   да/ нет

4. Они были на концерте.   да/ нет

5. Виктор — студент.   да/ нет

6. Александр работает в Нью-Йорке.   да/ нет

7. Летом Виктор хочет работать в самом большом штате в США.   да/ нет

8. Братья не говорят по-русски.   да/ нет

C. Refer to the answer key and read the description out loud. Record your reading and compare it with the original.

Writing

2.   **Verb conjugation**

Give a full conjugation for организовать (организова-). (Refer to Analysis Unit IV, 10.)

Present Tense	Past Tense
я_____	он_____
ты_____	она_____
он, она_____	оно_____
мы_____	они_____
вы_____	Infinitive
они_____	_____

3.   **Using the prepositional case**

Complete the sentences using the words in brackets in the appropriate case. (Refer to Analysis Unit IV, 4, 5.)

A.

1. Лёна мно́го чита́ет. Сейча́с она́ чита́ет об_____
   (англи́йский бале́т)

_____.

2. Вчера́ Та́ня была́ до́ма, а сего́дня она́ была́ на _____
   (о́чень интере́сная вы́ставка)

_____.

3. Это моя́ подру́га Ли́за. Ра́ньше она́ танцева́ла в _____
   (ру́сский теа́тр)

_____.

Сейча́с она́ хо́чет танцева́ть в _____.
   (америка́нский теа́тр)

4. — Я не́ был на ле́кции. О чём вы там говори́ли?

   — О _____.
       (совреме́нный би́знес)

B.

1. У́тром студе́нты в университе́те, а ве́чером они́ рабо́тают в _____
   (библиоте́ки,

_____.
   рестора́ны, магази́ны, лаборато́рии)

2. Ми́ша - ветерина́р. Он мно́го зна́ет о_____.
   (соба́ки и ко́шки)

3. Мой брат - программи́ст. Он всегда́ говори́т о _____.
   (компью́теры)

4. Ми́ша и Та́ня ча́сто говоря́т о _____.
   (музе́и и вы́ставки)

5. Сего́дня ве́чером они́ у́жинали в _____
   (хоро́ший рестора́н)

и не хоте́ли говори́ть об _____.
   (отме́тках в институ́те)

4. **Где они́ бы́ли?**

Find out where these people were. (Refer to Analysis Unit IV, 9; Unit III, 7.)

> Ка́тя, дискоте́ка. ⇒
> — Ка́тя, где ты была́?
> — Я была́ на дискоте́ке.

1. Ми́ша, рабо́та _____

_____

2. Да́ша, ле́кция _____

_____

3. Та́ня, университе́т _____

_____

4. Дэ́нис, мили́ция _____

_____

5. Ма́ма, бале́т _____

_____

6. Са́ша, спекта́кль _____

_____

Unit 4 Day 4
Listening

1.   Dictation

Mark stress and ICs as you write out the dictation. The sentences will be read slowly the first two times; the third time they will be read at a normal speed.

1. _____

_____

2. _____

_____

3. _____

_____

4. _____

_____

Writing

2.   Verb practice

Fill in the blanks with the correct form of the verb. (Refer to Analysis Unit IV, 10.)

танцева́ть (танц**ева́-**)

1. Та́ня о́чень хорошо́ _____ .

2. Вчера́ Та́ня не _____ .

3. Лёна и Са́ша здесь ча́сто _____ .

4. Вы ча́сто _____ ?

5. Почему́ ты не хо́чешь _____ ?

3.   Asking questions

1. Your friend is reading a book. Ask him what the book is about.

_____

2. You are looking for your friend who is out for a walk with the children. Ask her husband if he knows in which park they usually take walks.

_____

3. Ask a passer-by if s/he knows what the street is called.

_____

4. You are looking for a library. Ask someone if s/he knows where the library is.

_____

5. You want to know where your friend's sister works. Ask your other friend if s/he knows.

_____

6. Ask your friend if his or her parents usually speak English or Russian at home.

_____

7. Find out if Ми́ша usually works in the afternoon or in the evening.

_____

4.   Translation

Translate the following sentences into Russian. (Refer to Analysis Unit IV, 9)

1.   — Where were Ми́ша and Та́ня last night?

_____

— They were at the museum.

_____

2.   — Where was Да́ша yesterday?

_____

— She was at the lecture.

_____

3.   — Where was Дэ́нис yesterday?

_____

— He was at home.

_____

4.   — Where was Са́ша yesterday morning?

_____

— He was at work.

_____

5.   — Where was Ле́на yesterday morning?

_____

— She was at the university.

_____

5.   Оди́н, одна́, одно́, одни́

Read Analysis Unit IV, 7 before you start doing this exercise. Fill in the blanks
with the appropriate form of the number "one."

одни́   шо́рты   _____мост

_____дя́дя   _____ма́йка

_____ко́фта   _____общежи́тие

_____зда́ние   _____брю́ки

_____экза́мен   _____сло́во

_____пла́тье   _____аэропо́рт

_____ту́фли   _____ку́ртка

_____ле́кция   _____окно́

Unit 4 Day 5

Listening

1. **Practicing ICs 1, 2 and 3**

A. Listen, fill in the missing words and mark the ICs in the following sentences.

1. — Ты не зна́ешь, где живёт _____?

   — _____?

   — Ле́на Анто́нова.

   — Нет, не зна́ю.

2. — Ты зна́ешь, в како́й кварти́ре живёт_____?

   — В пятна́дцатой.

3. — Ну, как_____, интере́сный?

   — Нет, не о́чень.

4. — Те лю́ди говоря́т по-неме́цки или по-францу́зски?

   — По-мо́ему,_____.

5. — Ты был в Москве́?

   — Да, я жил там в_____, октябре́ и ноябре́.

B. Read the dialogs out loud.

Writing

2. Prepositional case of personal and possessive pronouns

Write the answers to the following questions. (Refer to Analysis Unit IV, 2, 6.)

> — О чём ты ду́маешь?
> — Я ду́маю о них и их друзья́х.

A. О чём ты ду́маешь?

ты и твоя́ подру́га, он и его́ брат, они́ и их университе́т, вы и ва́ши друзья́, она́ и её ле́кция

_____

_____

_____

_____

B. О чём они́ говори́ли?

мы и на́ша кни́га, они́ и их би́знес, вы и ваш фильм, она́ и её сын, я и моя́ рабо́та

_____

_____

_____

C. Write in two or three sentences what you really think about and what you talked about the other day.

_____

_____

_____

3. Лежа́ть/стоя́ть

Translate the following sentences into Russian using the appropriate form of the verb лежа́ть (лежа́-) or стоя́ть (стоя́-). (Refer to Analysis Unit IV, 10.)

1. The oranges are in the refrigerator. (лежа́-)

_____

2. The cups are on the shelf.   (стоя́-)

_____

3. The dictionary was on that shelf.   (стоя́-)

_____

4. The suitcase is in that room.   (стоя́-)

_____

5. The lamp is on the table.   (стоя́-)

_____

6. The money was on this magazine.   (лежа́-)

_____

7. Your jeans are on the sofa.   (лежа́-)

_____

4.   Using the prepositional case

Complete the following sentences with the appropriate preposition **в/на/о**. (Refer to Analysis Unit IV,4 - 6.)

> Моя́ маши́на стои́т _____. (гара́ж) ⇒
> Моя́ маши́на стои́т в гараже́.

1. Ты хо́чешь рабо́тать _____?
                          (наш университе́т)

2. Мы ча́сто говори́м _____.
                          (ва́ши друзья́)

3. Они́ спра́шивают _____.
                          (ру́сские актёры)

4. Мы ре́дко у́жинаем _____.
                          (америка́нские рестора́ны)

5. Вы чита́ли _____?
                          (ру́сские музыка́нты)

6. Францу́зские кни́ги стоя́т _____,
                          (э́ти по́лки)

а журна́лы лежа́т _____.

(тот стол)

5. **Оди́н, одна́, одно́, одни́**

Пе́тя Васи́льев asked Ми́ша: «Ты оди́н? А где твоя́ подру́га?» In this context **оди́н** means "alone." Fill in the blanks with the appropriate form of **оди́н**. (Refer to Analysis Unit IV, 7.)

1. — Андре́й, ты здесь _____?

   — Да, _____.

2. — Де́ти бы́ли до́ма _____?

   — Нет, и ма́ма была́ до́ма.

3. — Ой, кака́я больша́я кварти́ра? Ви́ктор, ты живёшь здесь _____?

   — Да, _____.

4. — Ле́на и Ната́ша! Вы гуля́ете здесь _____?!

   — Нет, вон на́ша ба́бушка.

5. — Где ты была́ ле́том?

   — В Ки́еве.

   — Как интере́сно! Ты была́ там _____?

   — Нет, там сейча́с живёт мой брат.

6. — Приве́т, Ка́тя! Ты здесь _____? А где Ви́ка?

   — Она́ в университе́те.

Unit 4 Day 6

Listening

1.   Recognizing names of places

A. Listen to the following conversations and fill in the missing words. Mark the ICs.

1.   — Извини́те, это кли́ника?

       — Это _____, а не кли́ника.

2.   — Извини́те, э́то гости́ница?

       — Это _____, а не гости́ница.

3.   — Скажи́те, пожа́луйста, э́то стадио́н?

       — Это _____, а не стадио́н.

4.   — Извини́те, э́то музе́й?

       — Это не музе́й, а _____.

5.   — Скажи́те, пожа́луйста, э́то шко́ла?

       — Это не шко́ла, а _____.

B. Read the dialogs out loud.

2.   Conjunctions: и vs. а

Listen to the following sentences and fill in the missing words.
(Refer to Analysis Unit IV, 8.)

1. Это моя́ сестра́, _____.

2. Ми́ша — ветерина́р, _____.

3. Вы бы́ли вчера́ в теа́тре, _____.

4. Ма́ма в шко́ле, _____.

5. Столы́ в э́той ко́мнате, _____.

6. Мой друг не говори́т по-англи́йски, _____.

   Мы всегда́ говори́м по-испа́нски.

7. Вы говори́те об англи́йских шко́лах, _____

Writing

3. Verb conjugation

Give the full conjugation of отвеча́ть (отвеча́й-). (Refer to Analysis Unit I, 3; I, 7.)

Present Tense	Past Tense
я_____	он_____
ты_____	она́_____
он, она́_____	оно́_____
мы_____	они́_____
вы_____	Infinitive
они́_____	_____

4. Using the Prepositional Case

Complete the following sentences using the phrases provided.
(Refer to Analysis Unit IV, 6.)

1. В газе́те я чита́л(а) о_____.

2. Моя́ сестра́ говори́ла о_____.

3. Эта кни́га о _____.

4. Эта статья́ о _____.

5. Студе́нты спра́шивали о _____.

6. Этот спектáкль о _____.

молодьíе биóлоги, америкáнские врачи́, нóвые игру́шки, япóнские маши́ны,

совремéнные шкóлы, ру́сские университéты

5. Prepositional case of personal pronouns

Complete the following sentences with the missing personal pronouns. (Refer to Analysis Unit IV, 2, 3.)

1. — Я нé был сегóдня на лéкции. Преподавáтель спрáшивал обо_____?

— Да, спрáшивал.

2. Антóн Пáвлович Чéхов — ру́сский писáтель. Вы мнóго знáете о _____?

3. — Кто э́то?

— Это америкáнские студéнты. Пóмнишь, Кáтя говори́ла о _____?

4. Лéтом Том был в Москвé. Он чáсто говори́т о _____.

5. — О чём ты ду́маешь? — Я ду́маю о _____. (ты)

6. — Здрáвствуйте, мы вáши нóвые студéнтки.

— Здрáвствуйте. Вы — Мари́на и Натáша? Елéна Ивáновна говори́ла о _____.

6. Months of the year

Write in the names of the months:

пéрвый мéсяц - январь

восьмóй мéсяц - _____

пя́тый мéсяц - _____

оди́ннадцатый мéсяц - _____

седьмóй мéсяц - _____

шестóй мéсяц - _____

трéтий мéсяц - _____

четвёртый мéсяц - _____

деся́тый мéсяц - _____

девя́тый мéсяц - _____

вторóй мéсяц - _____

двенáдцатый мéсяц - _____

Unit 4 Day 7

Listening

1. **Unstressed o**

A. Listen and repeat. Mark the ICs and underline all unstressed **o**'s that are pronounsed like /a/. (Refer to Analysis Unit I, 15.)

1. — Молодо́й челове́к, вы не зна́ете, где здесь восемна́дцатое

    общежи́тие?

    — Зна́ю. Вон в том зда́нии.

    — Спаси́бо.

    — Пожа́луйста.

2. — Здра́вствуй, Ка́тя!

    — Приве́т, Ви́ктор!

    — Ты не зна́ешь, о чём говори́л сего́дня профе́ссор?

    — Зна́ю. О газе́тах и журна́лах.

    — О каки́х?

    — Об англи́йских.

3. — Скажи́те, пожа́луйста, где здесь банк?

    — Банк на второ́м этаже́.

    — А где кафе́?

    — Кафе́ на восьмо́м этаже́.

B. Read the dialogs out loud.

Writing

2. **Writing a letter**

Read Та́ня's letter to Да́ша.

Дорога́я Да́ша!

Зна́ешь, вчера́ мы бы́ли на о́чень хоро́шем ве́чере в клу́бе. В бе́лом за́ле был рок-конце́рт. Игра́ла гру́ппа «Руби́новая ата́ка». На дискоте́ке мы танцева́ли в чёрном за́ле. Там был о́чень интере́сный молодо́й диджей. А что ты де́лаешь? Как ты отдыха́ешь? Как дела́ в университе́те? Интере́сно, где танцу́ют америка́нские студе́нты? На дискоте́ке, в клу́бах, в университе́те? А ты где танцу́ешь? Почему́ ты молчи́шь? Где твои́ пи́сьма, Да́ша?

Обнима́ю, Твоя́ Та́ня

1. What *does* Та́ня write about in her letter? What *doesn't* she write about?

В письме́ Та́ня говори́т о _____

_____

_____

В письме́ Та́ня не говори́т о _____

_____

_____

Reference words: хоро́шая му́зыка, но́вый рок, отли́чный ве́чер, интере́сный клуб, но́вая програ́мма, вку́сные бутербро́ды, люби́мая му́зыка, хоро́ший дидже́й, её друг

2. Answer Та́ня's questions as if you were Да́ша.

1. Как ты отдыха́ешь? _____

2. Как дела́ в университе́те? _____

3. Где танцу́ют америка́нские студе́нты? _____

_____

4. Почему́ ты молчи́шь? _____

_____

3. Как отдыха́ют америка́нские студе́нты? Как вы отдыха́ете?

_____

_____

_____

Reference words: танцева́ть, игра́ть на гита́ре, у́жинать в рестора́не, говори́ть о ..., ду́мать о .....

Unit 4 Day 8

Listening

1.   Dictation

Mark stress and ICs as you write out the dictation. The sentences will be read slowly the first two times; the third time they will be read at a normal speed.

1.   _____

_____

2.   _____

_____

3.   _____

_____

Writing

2.   Verb conjugation

Give the full conjugation of the following verbs. (Refer to Analisis Unit IV, 10; I, 4)

молча́ть (молча́-)

Present Tense	Past Tense
я_____	он_____
ты_____	она́_____
он, она́_____	оно́_____
мы_____	они́_____
вы_____	Infinitive
они́_____	_____

по́мнить (по́мни-)

Present Tense	Past Tense
я_____	он_____
ты_____	она́_____
он, она́_____	оно́_____
мы_____	они́_____
вы_____	Infinitive
они́_____	_____

3. Vocabulary practice

Dennis is writing a letter to his new Russian friend. He doesn't have a dictionary handy and can't come up with a few Russian words and phrases. Could you help him?

Дорого́й Серге́й!

Как твои́ дела́? Я живу́ непло́хо. Я не о́чень ча́сто говорю́ по-ру́сски до́ма. Мой ма́ленький друг Ва́ня о́чень энерги́чный и весёлый.

Он _____ .
always wants to speak English.

Мой _____ друг — музыка́нт и бизнесме́н.
new

_____ . _____
I know very little about his business.   Last night we were talking about American

_____ . А его́ сестра́, о́чень интере́сная де́вушка, и говори́т:
musicians

_____
"Do you know who used to live in this building?"

Ру́сские обы́чно зна́ют, кто жил в их до́ме ра́ньше, како́й там ра́ньше был магази́н или кака́я гости́ница. А в Аме́рике мы об э́том ча́сто не ду́маем.

Пока́, Дэ́нис.

4. Оди́н, одна́, одно́, одни́

Translate the following sentences into Russian. Keep in mind that **оди́н** can mean both "one" and "alone." (Refer to Analysis Unit IV, 7.)

1. — Excuse me, where is a bank here?

_____

— In that building over there. There is only one bank in our town.

2. Last night I was at the movies and my wife was at the university.

_____

Мари́на was home alone.

_____

3. — Hi, Игорь! Are you alone here? Where is your friend?

_____

— She is in France. She works there now.

_____

4. — What are you drawing?

_____

— I'm drawing a zoo. Here is one black elephant, one yellow dog

and one small red cat. They live together. And this old dog lives alone.

_____

_____

_____

Unit V Workbook
Warm-up
<u>Listening</u>

1.   Numerals from 21 to 199

A. Listen, repeat and memorize the following multiples of ten.

20 — двáдцать /двáццатʰ/
30 — трúдцать /трʰúццатʰ/
40 — сóрок /сóрак/
50 — пятьдеся́т /пʰидʰисʰа́т/
60 — шестьдеся́т /шызʰдʰисʰа́т/
70 — сéмьдесят /сʰéмдʰисʰат/
80 — вóсемьдесят /вóсʰимдʰисʰат/
90 — девянóсто /дʰивʰинóста/
100 — сто /стó/

B. Count in tens from 10 to 100 and back again.

C. The numbers 21, 32, 43, etc. are formed just as they are in English:

41, 42, 43... сóрок одúн, сóрок два, сóрок три...
101, 102, 103... сто одúн, сто два, сто три...
131, 132, 133... сто трúдцать одúн, сто трúдцать два, сто трúдцать три...

Now you can count from 1 to 199 in Russian!!!

2.   Ordinal numerals

A. Listen, repeat, and memorize.

20 — двадца́тый /двацца́тый/
30 — тридца́тый /трʰицца́тый/
40 — сороково́й /саракаво́й/
50 — пятидеся́тый /пʰитʰидʰисʰа́тый/
60 — шестидеся́тый /шысʰтʰидʰисʰа́тый/
70 — семидеся́тый /сʰимʰидʰисʰа́тый/
80 — восьмидеся́тый /васʰмʰидʰисʰа́тый/
90 — девяно́стый /дʰивʰино́стый/
100 — со́тый /со́тый/

B. The Russian ordinal numerals corresponding to 21st, 32nd, 43d, etc. are composed of the <u>cardinal</u> representing the ten and the <u>ordinal</u> representing the digit, just like in English: **двáдцать пéрвый (-ая, -ое), сóрок шестóй (-ая, -ое) сто пятьдесят девятый (-ая, -ое)**, etc.

Writing

3.   Cardinal numerals

Write the following cardinal numbers in cursive. Note that numerals up to 40 (10, 20, 30) have **ь** at the end; those after 40 (50, 60, etc.) have **ь** in the middle of the word. (Refer to Appendix IV.)

5	15	50
пять	пятнáдцать	пятьдеся́т
6	16	60
7	17	70
8	18	80
9	19	90

4.   Ordinal numerals

Write the following ordinal numerals in figures.

1.   двáдцать трéтий дом - <u>дом нóмер 23</u>

2.   сóрок восьмáя квартúра - <u>квартúра нóмер 48</u>

3.   девянóсто вторóй дом -_____

4.   сто сóрок четвёртый автóбус - _____

5.   сто трúдцать пéрвое общежúтие - _____

6.   шестьдеся́т девя́тый этáж - _____

7.   пятьдеся́т седьмáя квартúра - _____

8.   вóсемьдесят восьмáя больнúца - _____

9.   сто девятнáдцатое общежúтие - _____

10.   сóрок пя́тая кóмната - _____

Unit 5 Day 1
Listening

1.   Recognizing numerals

Listen to the following conversations and fill in the missing numbers. (Refer to Appendix IV.) Listen and repeat.

1.   — Извини́те, э́то больни́ца но́мер _____ ?

     — Да.

     — Спаси́бо.

2.   — Скажи́те, э́то _____ и́ли _____

     эта́ж?

     — Это _____ эта́ж.

     — Спаси́бо.

3.   — Извини́те, како́й э́то дом?

     — По-мо́ему, э́то дом но́мер _____ .

     — А где дом _____ ?

     — Извини́те, я не зна́ю.

4.   — Ты не зна́ешь, где живёт Серге́й?

     — Улица Стро́мынка, дом _____

     _____ .

     — А кака́я кварти́ра?

     — По-мо́ему, _____ .

     — Спаси́бо.

5.   — Извини́те, како́й э́то авто́бус?

     — _____ .

     — _____ ?

— Нет, _____ .

— Спаси́бо.

Writing

2.   The wrong word out
Cross out one word in each group that doesn't belong.

a) внук, тётя, брат, ребёнок, ба́бушка, отéц, вну́чка, дя́дя

b) литерату́ра, геомéтрия, рисова́ние, немéцкий язы́к, фи́зика, лéкция, хи́мия

c) спра́шиваю, говори́м, стой́те, по́мнишь, у́жинала, лежа́т, обéдаем

d) рабо́та, одéжда, по́лка, руба́шка, мужчи́на, мо́да, мили́ция

3.   Turning a question into a statement

> Бори́с: «Что он говори́т?» ⇒
> Я не понима́ю, что он говори́т.

Дэ́нис: «Что мы дéлаем в мили́ции?»

_____

Гали́на Ива́новна: «Что он дéлает в на́шей кварти́ре?»

_____

Ма́ма: «Что он дéлает в Москвé?»

_____

Та́ня: «Что ты хо́чешь?»

_____

4.   Deciphering sentences
Break the sentences into words, mark stresses and read them out loud.

1. ГалинаСемёновнаживётвквартиреномерстовосемнадцать.

_____

2. Еёквартиранаодиннадцатомэтаже.

3. Онаживётнасорокчетвёртойулицевоченьбольшомгороде.

4. Сейчасонаработаетвстотринадцатойбольницеараньшеонаработалавдевяносто
девятойбольнице.

5.   Cardinal numerals
Write out the following numbers. Mark stress and read them out loud.

14 — четы́рнадцать

44 —

66 —

35 —

81 —

103 —

28 —

_____

57 —

_____

179 —

_____

119 —

_____

Unit 5 Day 2
Listening

1. **Complete the dialogs**

Listen and fill in the missing parts of the conversations. Listen and repeat.

A. Fill in the missing answers.

1. — Ты не зна́ешь, чей э́то ключ?

— По-мо́ему, _____.

2. — Извини́те, э́то ва́ша соба́ка?

— _____.

3. — Кто э́то?

— _____.

4. — Это дом твое́й ма́мы?

— _____.

B. Now fill in the missing questions:

1. — _____

— Там ка́рты мое́й тёти.

2. — _____

— Нет, э́то уче́бник геоме́трии.

3. — _____

— Это моя́ маши́на.

4. — _____

— Нет, моя́ сестра́ игра́ет. Это её гита́ра.

Writing

2. Expressing ownership

Write short dialogs. (Refer to Analysis Unit V, 1, 2.)

> ребёнок/ моя́ подруга ⇒
> — Чей э́то ребёнок?
> — Э́то ребёнок мое́й подру́ги.

1. маши́на/ мой па́па

   _____

   _____

2. о́фис/ наш ме́неджер

   _____

   _____

3. де́ньги/ Ле́на

   _____

   _____

4. шарф/ моя́ сестра́

   _____

   _____

5. дом/ их де́душка

   _____

_____

6. кни́га/ ваш сын

_____

_____

7. уче́бники/ твой брат

_____

_____

8. пла́тье/ её ба́бушка

_____

_____

9. кассе́та/ э́та де́вушка

_____

_____

10. кварти́ра/ моя́ тётя

_____

3.   Check your knowledge of geography. (Using the genitive case)

Write out sentences that state the capital of the given countries. (Refer to Analysis Unit V, 2; III, 7.)

> Столи́ца Пакиста́на — Исламаба́д.
> or: Исламаба́д — столи́ца Пакиста́на.

Стра́ны: Уругва́й, Вьетна́м, Фра́нция, Австра́лия, Кана́да, Австрия, Ку́ба, Финля́ндия, Герма́ния, Ита́лия

Столи́цы: Рим, Бонн, Хе́льсинки, Монтевиде́о, Отта́ва, Ве́на, Гава́на, Хано́й, Канбе́рра, Пари́ж

1. _____

2. _____

3. _____

4. _____

5. _____

6. _____

7. _____

8. _____

9. _____

10. _____

4. Discussing family relations (Practicing the genitive case)

(Refer to Analysis Unit IV, 12.)

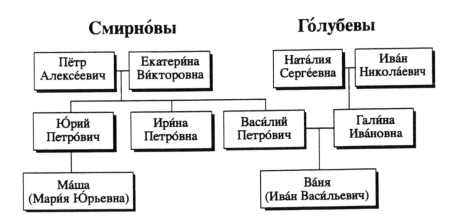

Смирно́вы   Го́лубевы

| Пётр Алексе́евич | Екатери́на Ви́кторовна | | Ната́лия Серге́евна | Ива́н Никола́евич |

| Ю́рий Петро́вич | Ири́на Петро́вна | Васи́лий Петро́вич | Гали́на Ива́новна |

| Ма́ша (Мари́я Ю́рьевна) | Ва́ня (Ива́н Васи́льевич) |

Это так и́ли нет?

	да	нет
1. Ири́на Петро́вна — сестра́ Юрия Петро́вича.		
2. Пётр Алексе́евич — брат Ма́ши.		
3. Екатери́на Ви́кторовна — ба́бушка Ма́ши.		
4. Васи́лий Петро́вич — сын Ива́на Никола́евича.		
5. Ю́рий Петро́вич — оте́ц Ва́ни.		
6. Ма́ша — двою́родная сестра́ Ва́ни.		
7. Ива́н Никола́евич — двою́родный брат Васи́лия Петро́вича.		

Unit 5 Day 3
<u>Listening</u>

1. **Complete the dialogs**

Fill in the missing words and read the dialogs out loud.

1. — Ты зна́ешь _____?

   — Да, он живёт на _____.

2. — Что ты рису́ешь?

   — Сейча́с я рису́ю _____, а вчера́ я рисова́л

   _____ и _____ .

3. — Вы лю́бите _____?

   — Нет, я пло́хо зна́ю _____. Я о́чень люблю́

   _____.

4. — Что вы де́лали вчера́ ве́чером?

   — Мы слу́шали _____ . А вы лю́бите слу́шать

   _____?

   — Да, мы ча́сто слу́шаем _____.

5. — Ты по́мнишь _____?

— По́мню. Она́ ещё рабо́тает в _____?

— Нет, сейча́с она́ рабо́тает в _____, ты же

зна́ешь, как она́ лю́бит _____.

Writing

2.   Expressing possession (Using the genitive case)

Make up sentences using the words below. (Refer to Analysis Unit V, 1, 2)

Это письмо́ Ми́ши.

кварти́ра	ма́ма
письмо́	па́па
рюкза́к	сестра́
су́мка	брат
да́ча	Ми́ша
ко́мната	Дэ́нис
кварти́ра	Васи́льев
дом	Анна Бори́совна

1. _____

2. _____

3. _____

4. _____

5. _____

6. _____

7. _____

8. _____

3. Recognizing cases

Read the sentences and indicate the case of the underlined words. (Refer to Analysis Unit V, 5.)

> nom.   gen.   gen.
> Вот кни́га ва́шего па́пы.

1. Ра́ньше мы жи́ли в до́ме их ба́бушки.

2. Я по́мню ма́му твое́й подру́ги.

3. На ле́кции мы говори́ли о города́х Росси́и.

4. Двою́родная сестра́ моего́ дру́га — антропо́лог. Ты зна́ешь её?

5. Сейча́с я чита́ю кни́гу о ру́сских фи́зиках.

6. Мой му́ж лю́бит му́зыку Мо́царта.

7. Уче́бник геогра́фии лежи́т на той по́лке

4. Verb practice

Write the correct forms of the verb люби́ть (люби́-). (Refer to Analysis Unit V, 10)

1.   — Что _____ твои́ де́ти?

      — Пи́ццу и моро́женое.

2.   — Вы _____ футбо́л?

      — Моя́ жена́ _____, а я не

      _____.

3.   — Ра́ньше твоя́ до́чка о́чень_____ шокола́д. А

сейча́с_____?

А сейча́с не _____.

4.   — Мы ча́сто гуля́ем в э́том па́рке. Мы о́чень

_____ приро́ду.

— И мы _____ здесь гуля́ть.

5.   — Ты _____ чай?

— Нет.

— А ко́фе?

— И ко́фе не _____?

— А что же ты _____?

— Сок и во́ду.

6.   Мои́ роди́тели ча́сто говоря́т об актёрах. Они́ очень

_____

теа́тр, а ра́ньше они́ _____ спорт.

7.   — Я по́мню, что ра́ньше ваш сын о́чень _____

цирк.

— Он и сейча́с _____ цирк.

Unit 5 Day 4
Listening

1.   Recognizing telephone numbers

Listen to the following telephone conversations and write down the telephone numbers as you hear them. Read the dialog out loud.

1.   — Здра́вствуйте, Све́та до́ма?

    — Кака́я Све́та? Све́та здесь не живёт.

    — Это _____?

    — Нет.

    — Извини́те.

2.   — Са́ша? Приве́т! Это Илья́.

    — Приве́т. Как дела́? Как подру́га?

    — Мы живём в но́вой кварти́ре. Вот мой но́вый

    телефо́н_____.

3.   — Здра́вствуйте, э́то гости́ница «Ле́то»?

    — Да.

    — В ко́мнате 109 живёт Оле́г Петро́вич За́йцев. Како́й его́ но́мер телефо́на?

    — _____ .

    — Спаси́бо.

    — Пожа́луйста.

4.   — Алло́! Приве́т, Ри́та!

— Здра́вствуйте. Это не Ри́та, э́то Лари́са.

— Это _____?

— Да. Ри́та сейча́с на ю́ге, на Чёрном мо́ре. А я её сестра́.

— До́брый день! Это говори́т Тама́ра. Я подру́га Ри́ты. Я сейча́с в

То́кио, я здесь рабо́таю. Вот мой телефо́н:_____

— Хорошо́.

— Спаси́бо, до свида́ния.

— До свида́ния.

Writing

2.   Accusative case of personal pronouns

Complete the sentences using the pronouns in the correct form. (Refer to Analysis Unit V, 6.)

1.   — Как зову́т э́ту де́вушку?

— По-мо́ему _____ зову́т Ната́ша. (она́)

2.   Мы говори́ли по-ру́сски, и америка́нцы понима́ли _____ хорошо́. (мы)

3.   Серге́й не́ был на экза́мене. Преподава́тель хо́чет _____ ви́деть. (он)

4.   Я сего́дня так мно́го говорю́ о на́ших проблéмах! Вы _____ понима́ете? (я)

5.   — Приве́т! Как дела́? Как рабо́та?

— Извини́те, но я _____ не зна́ю. (вы)

6.   Вот фотогра́фия твое́й гру́ппы. _____ ты здесь по́мнишь? (кто)

7.   Ну, как твоя́ пе́рвая ле́кция? Студе́нты _____ слу́шали? (ты)

8. Конфе́ты! Кто _____ не лю́бит! (они́)

9. — А кто э́ти лю́ди? Они́ твои́ друзья́?

— Нет, я _____ не зна́ю. (они́) Э́то друзья́ моего́ бра́та.

10. — Еле́на Влади́мировна! Здра́вствуйте! По́мните _____(мы)? Мы отдыха́ли вме́сте на Байка́ле.

— Здра́вствуйте, коне́чно, я _____ по́мню (вы). Как ва́ши дела́?

3. Что вы зна́ете? Что вы лю́бите?

Write the subjects you like, the ones you don't like so much and the ones you used to like. Write what you would like to read about, what you think you know well and what you don't know so well.

география   Я непло́хо зна́ю геогра́фию.

лингви́стика   Я о́чень люблю́ лингви́стику.

матема́тика   _____

грамма́тика   _____

компью́тер   _____

литерату́ра   _____

хи́мия   _____

исто́рия Росси́и   _____

исто́рия ва́шего шта́та _____

геогра́фия Аме́рики _____

4. The accusative case of demonstrative and possessive pronouns

Combine the following groups of words to create complete sentences. (Refer to Analysis Unit V, 6, 7.)

> Та́ня, сестра́, зову́т, моя́ ⇒
> Мою́ сестру́ зову́т Та́ня.

1. Ната́ша, подру́га, зову́т, моя́

_____

2. Люби́ть, э́та, мои́, кни́га, бра́тья

_____

3. Знать, вы, ба́бушка, на́ша?

_____

4. Статья́, он, чита́ть, э́та, не

_____

5. Тот, ты, знать, челове́к?

_____

6. Хоте́ть, я, руба́шка, та

_____

7. Не, Ве́ра, его́, по́мнить, сестра́

_____

8. Райо́н, пло́хо, они́, знать, ваш

_____

9. Письмо́, ты, моё, чита́ть?

_____

Unit 5 Day 5
Listening

1. Listening comprehension

Listen to the conversation as many times as you need and mark the statements below as true or false (write **да** or **нет**).

да/нет

1. Молодо́го челове́ка зову́т Игорь Петро́в. _____

2. Игорь не зна́ет, что Окса́на живёт в Петербу́рге. _____

3. Его́ жену́ зову́т Ири́на. _____

4. Мари́на хорошо́ зна́ет Окса́ну. _____

5. Мари́на игра́ет на скри́пке в рестора́не. _____

6. Ири́на рабо́тает в рестора́не. _____

7. Телефо́н Окса́ны: 111-73-38 _____

Writing

2. Working with a grade school class schedule (The genitive case: adjectives and nouns)

In Russian schools students have a different schedule every day. 7th grade students may have geography class two times a week, English class three times a week, literature class two times a week and so on. Fill in the endings below to complete these class schedules. (Refer to Analysis Unit V, 2, 8.)

уро́к = class in grade school

Понеде́льник
1. Уро́к геогра́фии
2. Уро́к англи́йск__ язык_
3. Уро́к а́лгебр__
4. Уро́к ру́сск___ язык__
5. Уро́к рисова́ни__

Вто́рник
1. Уро́к геоме́тр__
2. Уро́к литерату́р__
3. Уро́к неме́цк___ язык_
4. Уро́к англи́йск__ язык_
5. Уро́к геогра́ф__

Среда́
1. Уро́к хи́м__
2. Уро́к а́лгебр__
3. Уро́к ру́сск___ язык_
4. Уро́к неме́цк___ язык_
5. Уро́к исто́р___

Четве́рг
1. Уро́к исто́р___
2. Уро́к литерату́р__
3. Уро́к англи́йск___ язык_
4. Уро́к фи́зик__
5. Уро́к ру́сск___ язык_

Пя́тница
1. Уро́к ру́сск___ язык__
2. Уро́к а́лгебр__
3. Уро́к хи́м___
4. Уро́к фи́зик__
5. Уро́к геоме́тр___

3.   Verb conjugation

Conjugate the following stems. Mark stress. (Refer to Analysis Unit V, 10.)

x

смотре́ть (смотре-)

Present tense	Past tense
я_____	он_____
ты_____	она́_____
он, она́_____	оно́_____
мы_____	они́_____
вы_____	Infinitive
они́_____	_____

молча́ть (молча́-) "be silent"

Present tense	Past tense
я_____	он_____
ты_____	она́_____
он/а́_____	оно́_____
мы_____	они́_____
вы_____	Infinitive
они́_____	_____

фотографи́ровать (фотографи́рова-)

Present tense	Past tense
я_____	он_____
ты_____	она́_____

он, она́_____   они́_____

мы_____   <u>Infinitive</u>

вы_____

они́_____   _____

спроси́ть (спрос**и**-)ˣ

<u>Present tense</u>   <u>Past tense</u>

я_____   он_____

ты_____   она́_____

он, она́_____   оно́_____

мы_____   они́_____

вы_____   <u>Infinitive</u>

они́_____   _____

4.   Verb practice

Supply the correct forms of the verb ви́деть (ви́д**е**-)

1.   — Вы _____ э́тот неме́цкий фильм?

    — Да, я _____ его́ ра́ньше.

2.   Ви́ктор Петро́вич не по́мнит, где и когда́ он _____ э́того челове́ка.

3.   — Вы не _____ , что там лежи́т?

    — Нет, я не _____ .

4.   Ты _____ то краси́вое зда́ние? Это но́вая библиоте́ка.

5.   Наш преподава́тель хо́чет _____ вас. Он чита́л ва́шу статью́.

6.   — Как ты ду́маешь, твои́ друзья́ _____ нас?
    — По-мо́ему, _____.

5.   Indicating possession (Using the genitive case)

Make up sentences using the words below. Using the words in the chart, say that words in the first column belong to persons from the fourth one. Use possessive pronouns and adjectives from the second and third columns. The first one is done for you. (Refer to Analysis Unit V, 7, 8.)

Это письмо́ моего́ ста́рого дру́га.

письмо́	мой	ста́рый	друг
слова́рь	ваш	но́вый	студе́нт
дом	наш	популя́рный	архите́ктор
кварти́ра	твоя́	хоро́шая	подру́га
пла́тье	её	люби́мой	сестра́
ма́йка	его́	знако́мая	спортсме́нка
велосипе́д	их	стра́нный	сын
кни́га	э́та	совреме́нный	журнали́стка
биле́т	э́тот	молодо́й	челове́к

_____

_____

_____

_____

_____

_____

_____

Unit 5 Day 6
Listening

1.   Complete the dialogs

Listen to the following conversations and fill in the missing words.

1.   — Ты _____ чита́ть по-ру́сски?

   — Да, я люблю́ чита́ть и _____, а _____ не люблю́.

   — И я не _____ писа́ть. А мой друг лю́бит. Он

   ча́сто _____ пи́сьма по-ру́сски.

2.   — Что ты де́лаешь?

   — Перевожу́ _____ .

   — О чём _____ статья́?

   — О рабо́те _____

   в Росси́и. А ты что де́лаешь?

   — А я _____ и _____ телеви́зор.

3.   —Ты лю́бишь _____?

   — Я пло́хо _____ зна́ю. Я чита́ла то́лько

   Толсто́го _____.

The names **Толсто́й** and **Достое́вский** take adjectival endings:

   Толсто́й
   рома́н Толсто́го

4.   — Ты ви́дел_____?

   — Да, а ты?

   — А я нет. Осенью экза́мен. Я сейча́с о́чень мно́го _____ и

   _____. О чём был фильм?

   — О би́знесе в Росси́и. О _____. По-мо́ему, фильм не

   о́чень интере́сный.

Writing

2. **How would you say it in Russian?**

How would you react in the following situations? Write down your reactions according to the given prompts.

1. Человéк спрáшивает вас: «Это ваш чемодáн?»

   a. Это ваш чемодáн.   _Да, это мой чемодáн._

   b. Это не ваш чемодáн   _Нет, это не мой чемодáн._

   c. Вы не понимáете, что он говорúт.   _Извинúте, я не понимáю._

2. Дéвушка спрáшивает вас: «Где здесь университéт?»

   a. Вы не знáете. _____

   b. Вы знáете. _____

3. Кáтя хóчет смотрéть францýзский фильм. Её друг хóчет смотрéть футбóл.

   a. Вы — Кáтя. _____

   _____

   b. Вы — друг Кáти. _____

   _____

4. Натáша спрáшивает вас, где её учéбник.

   a. Вы не знáете. _____

   b. Вы егó вúдели, но не пóмните где. _____

   _____

   c. Вы дýмаете, что учéбник лежúт на пóлке.

   _____

c. Вы ду́маете, что уче́бник лежи́т на по́лке.

_____

5.　Ва́ша подру́га спра́шивает вас: «Что ты де́лал(а) сего́дня?»

Что вы де́лали сего́дня? (Write 2-5 lines)

_____

_____

_____

_____

_____

3.　Как его́ зову́т?

Try to recall the names of the characters in the video. Use the appropriate pronouns in your answers.

> — Ты не зна́ешь, как зову́т Во́лкова?
> — Его́ зову́т Анто́н.

1.　— Ты не зна́ешь, как зову́т сы́на Смирно́ва?

　— _____ .

2.　— Ты не зна́ешь, как зову́т америка́нского фото́графа?

　— _____ .

3.　— Ты не зна́ешь, как зову́т ма́му Та́ни?

　— _____ .

— _____ .

6.   — Ты не зна́ешь, как зову́т дру́га Та́ни?

— _____ .

5.   Verb conjugation

Conjugate the following verbs.

переводи́ть (переводи́-)^{х}

<u>Present tense</u>   <u>Past tense</u>

я_____   он_____

ты_____   она́_____

он, она́_____   они́_____

мы_____   <u>Infinitive</u>

вы_____   _____

они́_____

ре́зать (ре́за-) "cut"

<u>Present tense</u>   <u>Past tense</u>

я_____   он_____

ты_____   она́_____

он, она́_____   оно́_____

мы_____   они́_____

вы_____   <u>Infinitive</u>

они́_____   _____

лови́ть (лови́-)^{х} "catch"

<u>Present tense</u>   <u>Past tense</u>

я_____   он_____

ты_____

он, она́_____

мы_____

вы_____

они́_____

она́_____

оно́_____

они́_____

<u>Infinitive</u>

_____

Unit 5 Day 7
Listening

1.   Dictation

Mark stress and ICs as you write out the dictation.

1.   _____

      _____

2.   _____

      _____

3.   _____

      _____

Writing

2.   Что, когда́ и о чём мы чита́ли?

Fill in the proper grammatical endings. Mark stress. (Refer to Analysis Unit V, 5)

1.   В пе́рв____ уро́к___ мы чита́ли письм___ Да́ш___ о её жи́зн___ в
      Аме́рик___ .

2.   Во втор____ уро́к___ мы чита́ли письм___ Та́н____ о её жи́зн___
      в Москв___ .

3.   В тре́т____ уро́к___ мы чита́ли стать___ Да́ш___ о студе́нческ_____
      мо́д___ в Аме́рик___ .

4.   В четвёрт____ уро́к____ мы чита́ли стать____ корреспонде́нт____
      Ива́н____ Ко́шкин____ о но́в____ музыка́льн____ програ́мм___ в
      клу́б___ «Кора́лл».

5. В пя́т____ уро́к____ мы чита́ли исто́ри____ о молод____ бизнесме́н____ и его́ но́в____ кварти́р___ .

3. Verb conjugation

Conjugate the following verbs. (Refer to Analysis Unit V, 11, 12.)

пла́тить (плати-ˣ) "pay"

Present tense

я_____

ты_____

он, она́_____

мы_____

вы_____

они́_____

Past tense

он_____

она́_____

они́_____

Infinitive

_____

жить (жив-ˣ)

Present tense

я_____

ты_____

он, она́_____

мы_____

вы_____

они́_____

Past tense

он_____

она́_____

оно́_____

они́_____

Infinitive

_____

писа́ть (писа-) ^х

писа́ть (писа-)

Present tense	Past tense
я_____	он_____
ты_____	она́_____
он, она́_____	оно́_____
мы_____	они́_____
вы_____	Infinitive
они́_____	_____

4. Word puzzle

Can you find all 15 words?
The words are different parts of speech.

л	и	м	о	н	о	с
х	о	к	н	о	б	и
д	р	у	г	ш	е	н
е	ж	с	т	у	л	и
в	**е**	**с**	**ё**	**л**	**ы**	**й**
у	н	у	ж	е	й	ф
ш	а	м	о	т	е	у
к	р	к	т	о	м	а
а	б	а	р	м	о	й

5. Using the prepositional case

Shorten the following sentences as indicated. Remember that titles of films, books, newspapers, etc. are declined if they stand alone, but they are not declined if they are preceded by a noun. (Refer to Analysis Unit V, 14.)

> Мы бы́ли в магази́не «Ва́нда». ⇒
> Мы бы́ли в «Ва́нде».

1. Мы лю́бим у́жинать в кафе́ «Дру́жба».

_____

2. Я чита́ла интере́сную статью́ в журна́ле «Ру́сское сло́во».

_____

3. Ты чита́ешь газе́ту «Панора́ма»?

_____

4. Ты лю́бишь смотре́ть програ́мму «До́брое у́тро»?

_____

5. Вы ви́дели фильм «Мужчи́на и Же́нщина»?

_____

6. Мы хоти́м смотре́ть бале́т «Щелку́нчик» (" The Nutcracker").

_____

Unit 5 Day 8
Listening

1.   Practicing ICs 1, 2, 3 and 4

A. Listen to the following conversations, mark the ICs.

1.   — Что ты де́лаешь?

   — Я пишу́ упражне́ние. А ты?

   — А я рису́ю на́шу соба́ку.

2.   — Ты не зна́ешь, в како́й кварти́ре живёт Са́ша Кузнецо́в?

   — В три́дцать восьмо́й.

   — Спаси́бо.

3.   — Что вы де́лали на уро́ке?

   — Мы смотре́ли ви́део, писа́ли упражне́ние и переводи́ли статью́.

4.   — Ты хо́чешь смотре́ть кино́?

   — Хочу́.

   — А твой де́душка?

   — А он не хо́чет.

B. Read the dialogs out loud.

Writing

2.   Verb conjugation

Conjugate the following verbs. These verbs are for practice only and need not be learned at this stage. Mark stress throughout. (Refer to Analysis Unit V, 9—12.)

организова́ть (организова́-) "organize"

Future tense	Past tense
я_____	он_____
ты_____	она́_____
он, она́_____	оно́_____
мы_____	они́_____
вы_____	**Infinitive**
они́_____	_____

                    x
дыша́ть (дыша-)

Present tense	Past tense
я_____	он_____
ты_____	она́_____
он, она́_____	оно́_____
мы_____	они́_____
вы_____	**Infinitive**
они́_____	_____

носи́ть (нос**и**-)[x] "carry"

Present tense	Past tense
я_____	он_____
ты_____	она́_____
он, она́_____	оно́_____
мы_____	они́_____
вы_____	Infinitive:
они́_____	_____

3.   Asking questions

Ask questions to the underlined parts of the sentences. Don't forget to change the pronouns as needed.

> Меня́ зову́т <u>Игорь Ивано́в</u>. ⇒
> Как тебя́ зову́т?

1.   Эта де́вушка живёт <u>в Росси́и</u>.

    _____

2.   Её зову́т <u>Све́та Ивано́ва</u>.

    _____

3.   Она́ — <u>преподава́тельница</u>.

    _____

4.   Мой брат зна́ет <u>э́ту де́вушку</u>.

    _____

5.   Све́та лю́бит слу́шать <u>класси́ческую му́зыку</u>.

    _____

6. Обы́чно Све́та рабо́тает <u>у́тром и днём</u>.

_____

7. А ве́чером она́ <u>чита́ет, отдыха́ет,</u>
<u>смо́трит телеви́зор и слу́шает му́зыку.</u>

_____

4. Telephone conversations

Put together a telephone conversation between Та́ня and Ми́ша using the lines below for reference.

Как дела́?	Чита́ла.	Да, я. Здра́вствуй, Ми́ша.
Ты чита́ла моё письмо́?	Я хочу́ тебя́ ви́деть.	Норма́льно.
Я не могу́. Я о́чень за́нята.	Хорошо́. Ну, пока́?	Лу́чше, три.
Пока́.	Отли́чно. Где?	Ну, пожа́луйста. Я тебя́
Ла́дно, когда́?	Ты ещё се́рдишься?	о́чень прошу́. Я о́чень
Алло́!	Час дня - норма́льно?	хочу́ тебя́ ви́деть.
В музе́е.	Та́ня, э́то ты?	

Та́ня: — Алло́!

Ми́ша: — Та́ня, э́то ты?

Та́ня: _____

Ми́ша: _____

Та́ня: _____

Ми́ша: _____

Та́ня: _____

Ми́ша: _____

Та́ня: _____

Ми́ша: _____

Ми́ша: _____

_____

_____

Та́ня: _____

Ми́ша: _____

Та́ня: _____

Ми́ша: _____

Та́ня: _____

Ми́ша: _____

Та́ня: _____

5.   Ordinal numerals: spelling

Fill in the missing letters. Mark stress throughout. (Refer to Appendix IV.)

два___цатый   шес___ьдесят втор___й

сем___десят трет___й   сем___десятый

сороков___й   сто дв___надцатый

д___вяносто шест___й   дев___тнадцатый

п___тнадцатый   сор___к се___ьмой

сто четвёрт___й   вос___мидесятый

6.   Я пишу́ о дру́ге/ подру́ге

Write a story about your friend. (5 - 10 sentences) What is his/her name? Where does s/he live? If s/he is a student, what year is s/he in? What does s/he like? What does s/he want? Can s/he speak Russian or other foreign languages?

Unit VI Workbook

Warm-up

<u>Listening</u>

1. Cardinal Numerals: hundreds

Listen and repeat. Memorize the hundreds.

200 - двéсти /двéсʰтʰи/

300 - трúста /трʰúстa/

400 - четы́реста /читы́рʰистa/

500 - пятьсóт /пʰитсóт/

600 - шестьсóт /шыссóт/

700 - семьсóт /сʰимсóт/

800 - восемьсóт /васʰимсóт/

900 - девятьсóт /дʰивʰитсóт/

<u>Writing</u>

2. Cardinal numerals

Read the numerals aloud and write them out in numbers:

семьсóт двáдцать дéвять   729

четы́реста трúдцать два   _____

двéсти двáдцать вóсемь   _____

девятьсóт девянóсто шесть   _____

пятьсóт пятнáдцать   _____

трúста три   _____

шестьсóт шестьдеся́т дéвять   _____

восемьсóт вóсемьдесят   _____

семьсóт сóрок четы́ре   _____

четы́реста трúдцать   _____

3. Discussing food (New vocabulary)

A. Translate the following words into English. Look up for new words in the Unit IV vocabulary.

бефстрóганоф _____   колбасá _____

бифштéкс	_____	хлеб	_____
борщ	_____	мáсло	_____
пи́цца	_____	помидóры	_____
жáреная кýрица	_____	икрá	_____
макарóны	_____	кéтчуп	_____
спагéтти	_____	майонéз	_____
котлéта	_____	молокó	_____
омлéт	_____	сок	_____
плов	_____	пи́во	_____
ры́ба	_____	винó	_____
зелёный салáт	_____	водá	_____
картóшка	_____	шоколáд	_____
мя́со	_____	морóженое	_____
сыр	_____	конфéты	_____
молокó	_____	эклéр	_____
апельси́ны	_____	банáны	_____

B. Read the conversation below and write a similar dialog (5-8 lines) using the words from exercise A.

В кафé

Официáнт:	— Что вы хоти́те?
Ни́на:	— Я хочý жáреную кýрицу и картóшку.
Натáша:	— А я хочý суп и ещё, пожáлуйста, ры́бу. Я её óчень люблю́.
Официáнт:	— Так, что ещё?
Ни́на:	— Ещё, пожáлуйста, кóфе и морóженое.
Натáша:	— А я хочý чай и эклéр.

_____

_____

_____

_____

_____

_____

_____

_____

C. You are working as the head-cook at a Russian hotel that hosts American exchange students you must come up with a menue for them for two days. Use the list of words from part A.

За́втрак

_____

_____

_____

Обе́д

_____

_____

Ужин

_____

_____

_____

За́втрак

_____

_____

_____

Обе́д

_____

_____

Ужин

_____

_____

_____

D. Что вы лю́бите? Name your favorite foods and drinks.

Я люблю́_____

_____

Unit 6 Day 1

Listening

1.   Recognizing dates and days of the week

Listen to the following conversations and fill in the missing words. Write out the numbers. (Refer to Analysis Unit VI, 8.)

1.   —Какой сегодня день?

— Сегодня — _____.

— А какое сегодня число?

— Сегодня — _____.

2.   — Сегодня — _____?

— Нет, сегодня — _____.

3.   — Какой день _____?

— _____.

4.   — Тре́тье октября́ — э́то _____?

— Тре́тье октября́ — э́то _____.

5.   — Како́й сегодня день?

— Сегодня — _____.

— А я ду́мал, что сегодня —_____.

Writing

2.   Days of the week

A. Answer the following questions in full sentences.

1. Како́й сегодня день?

_____

2. Какóе сегóдня числó?

_____

3. Какóй ваш люби́мый день недéли?

_____

4. Какóй день недéли вы не лю́бите?

_____

3. Describing your habits

1. Что вы дéлаете кáждый день?

_____

2. Что вы дéлаете кáждое ýтро?

_____

3. Что вы дéлаете кáждую суббóту?

_____

4. Что вы дéлаете кáждую недéлю?

_____

5. Что вы дéлаете кáждый мéсяц?

_____

4. Recognizing cases

Read the sentences and mark the cases of the underlined words. (Refer to Appendix I.)

| prep. |
| Анна Бори́совна рабóтает в <u>шкóле.</u> |

1. <u>Кáждую недéлю</u> Ми́ша и Тáня обéдают в <u>кафé</u>.

2. Дэ́нис покупáет <u>рýсские сувени́ры</u>.

3. <u>Лéна</u> лю́бит слýшать <u>америкáнскую мýзыку</u>.

4. Ми́ша ча́сто говори́т о <u>ветерина́рном би́знесе</u>.

5. Та́ня не лю́бит <u>браслёты</u>.

6. Та́ня ви́дела <u>дру́га</u> <u>Лёны</u>.

7. Да́ша писа́ла об <u>америка́нских студе́нтах</u>.

8. Дэ́нис смотре́л <u>фотоальбо́м</u> в <u>кварти́ре</u> <u>Смирно́ва</u>.

5.   Suffixes -ция и -ура

Compare the corresponding Russian and English suffixes:

-ция	**-tion**
револю**ция**	revolution
тради**ция**	tradition

-ура	**-ure**
архитект**у́ра**	architecture
литерат**у́ра**	literature

Can you guess the meaning of the following words?

коопера́ция	_____	карикату́ра	_____
делега́ция	_____	фигу́ра	_____
пози́ция	_____	температу́ра	_____
пропо́рция	_____	культу́ра	_____
ликвида́ция	_____	процеду́ра	_____
эмансипа́ция	_____	мануфакту́ра	_____
опера́ция	_____	скульпту́ра	_____
деклара́ция	_____		

Unit 6 Day 2

Listening

1. Asking questions

Listen to the following sentences, write them down, then compose two questions about the contents of each sentence.

> Миша работает в клинике.
> Где работает Миша?
> Кто работает в клинике?

1._____

_____

_____

2._____

_____

_____

3._____

_____

_____

4._____

_____

_____

Writing

2. Translation

Translate the following text into Russian.

Marina is a well-organized (о́чень организо́ванный) student. She writes in English every day. She works at the library every morning. Marina watches films every Friday. She goes shopping (buys groceries) every Saturday and writes letters every Sunday. She calls her mother every week.

_____

_____

_____

_____

_____

_____

3. Когда́ и где была́ Да́ша?

Below is a page from Да́ша's notebook. Write where and when she was last week.

В понеде́льник Да́ша была́ в университе́те.

_____

_____

_____

_____

_____

_____

_____

4. **Extending sentences**

Extend the following sentences as shown in the model. Be creative and write at least two sentences. (Refer to Analysis Unit VI, 9.)

| Ма́ма гото́вит. Что? Кому́? |
| Ма́ма гото́вит обе́д сы́ну. |
| Ма́ма гото́вит у́жин ко́шке. |

1. Да́ша писа́ла. Кому́? О чём?

_____

_____

2. Ва́ня помога́ет. Кому́? Что де́лать?

_____

_____

3. Ле́на говори́ла. Кому́? О чём?

_____

_____

4. Дэ́нис отдыха́л. Где? Когда́?

_____

_____

5. Я чита́ю. Что? О чём?/О ком?

_____

_____

6. Я звони́л(а). Кому́? Когда́?

_____

_____

7. Па́па чита́л. Кому́? Что?

_____

_____

5. **Using the dative case**

Complete the following sentences using personal pronouns in the dative case. (Refer to Analysis Unit VI, 11.)

1. Па́па гото́вит у́жин. До́чка _____ помога́ет.

2. На́ша ко́шка лю́бит молоко́ и ры́бу. Мы не покупа́ем _____консе́рвы.

3. Я хочу́ купи́ть _____ ро́зы. Ты их лю́бишь?

4. Роди́тели Да́ши живу́т в Росси́и. Она́ пи́шет _____ пи́сьма.

5. — Мы_____(вы) звони́ли вчера́ ве́чером.

   — Мы бы́ли в теа́тре. А мы _____(вы) звони́ли вчера́ у́тром.

   — Пра́вда? И вы _____(мы) звони́ли? Мы бы́ли на рабо́те.

6. — Что ты де́лаешь?

   — Я перевожу́ статью́, а Ма́ша _____ помога́ет.

Unit 6 Day 3

Listening

1. **Dialog memorization**

Memorize the following dialog:

        3

Ми́ша: — Хо́чешь я куплю́ тебе́ э́тот браслéт?

     1   2   2

Та́ня: — Нет, спаси́бо. Ты же зна́ешь, я не люблю́ браслéты.

      2   1   3

Ми́ша: — Та́ня, мне нра́вится вот э́тот шарф. Мо́жно я тебе́ его́ куплю́?

      2   2

Та́ня: — Что ты, Ми́ша, э́то о́чень до́рого.

      1   2   2   3

Ми́ша: — Да ну, ерунда́! Ну, скажи́, он тебе́ нра́вится?

     1 2

Та́ня: — Да, о́чень.

Writing

2. **Perfective / Imperfective verbs**

A. Supply the perfective form of the following verbs (infinitives and stems). Memorize the pairs. (Refer to Analysis Unit VI, 4.)

де́лать (де́л**ай**-)   _____

покупа́ть (покупа́й-) _____

помога́ть (помога́й-)_____

             x

писа́ть (писа́-)   _____

чита́ть (чита́й-)   _____

реша́ть (реша́й-)   _____

отдыха́ть (отдыха́й-)_____

B. Now supply the imperfective form of the following verbs (infinitives and stems), and memorize the pairs.

_____   позвони́ть (позвони́-)

———————————	пообе́дать (пообе́д**ай**-)
	^x
———————————	сказа́ть (сказ**а**-)
———————————	помо́чь(irreg.)
	^x
———————————	посмотре́ть (посмотр**е**-)
	^x
———————————	купи́ть (куп**и**-)

3. Using the imperfective aspect

Explain the usage of the imperfective aspect. Indicate if the action expresses repetition, process or statement of fact. (Refer to Analysis Unit VI, 1.)

1. Твоя́ ма́ма иногда́ звони́т мое́й ма́ме. ———————————

2. — Что ты сейча́с де́лаешь?

— Я гото́влю у́жин. А ты? ———————————

— А я слу́шаю му́зыку. ———————————

3. Мы покупа́ем проду́кты ка́ждый четве́рг.———————————

4. — Ты чита́л сего́дня газе́ту?

— Нет, не чита́л. ———————————

5. Текст был о́чень тру́дный.

Вчера́ мы его́ о́чень до́лго переводи́ли. ———————————

6. — Ты ча́сто игра́ешь на гита́ре? ———————————

— Нет, ре́дко. Но в шко́ле я ча́сто игра́ла. ———————————

4. Using the dative case

Rewrite the following sentences replacing the underlined nouns with the corresponding personal pronouns. (Refer to Analysis Unit VI, 11.)

> Са́ша ча́сто звони́т Ле́не. ⇒
> Са́ша ча́сто звони́т ей.

1. Дэ́нис хо́чет написа́ть <u>сестре́</u> о популя́рных ру́сских переда́чах.

———————————

2. Сестра́ иногда́ звони́т <u>Дэ́нису</u>.

———————————

3. Дэ́нис пи́шет <u>сестре́ и бра́ту</u> пи́сьма.

4. Эта де́вушка помога́ет <u>Ми́ше и Серге́ю</u> переводи́ть докуме́нты.

5. Де́душка купи́л <u>тебе́ и Ле́не</u> телеви́зор.

6. Ми́ша прочита́л <u>Та́не и мне</u> статью́.

Unit 6 Day 4
Listening

1.   Talking about youself

Listen to the following questions, write down your answers.

1._____

2._____

3._____

4._____

5._____

6._____

7._____

8._____

Writing

2.   Recognizing cases

Read the sentences and mark the cases of the underlined words. (Refer to Appendix I.)

1. Мой брат часто читает нам смешные истории о кошках и собаках.

2. Саша помогал Лене переводить статью о книге французского писателя.

3. Даше нравится курс географии Америки.

4. Таня и Миша были на выставке русского художника девятнадцатого века.

5. Мы хотим купить цветы твоей бабушке.

6. Этот человек написал книгу о работе американского биолога в России.

3. Imperfective /perfective verbs.

Locate the aspectual pairs in the list below and place them in the correct columns, as indicated.

спра́шивать (спра́шив**ай**-); говори́ть (говори́-); позвони́ть (позвони́-); написа́ть
(напис**а**-); спроси́ть (спрос**и**-); звони́ть (звони́-); писа́ть (пис**а**-); купи́ть (куп**и**-);
прочита́ть (прочит**ай**-); уви́деть (уви́д**е**-); чита́ть (чит**ай**-); ви́деть (ви́д**е**-);
покупа́ть (покуп**ай**-); сказа́ть (сказ**а**-).

imperfective	perfective	translation
1._____	_____	_____
2._____	_____	_____
3._____	_____	_____
4._____	_____	_____
5._____	_____	_____
6._____	_____	_____
7._____	_____	_____

4. Imperfective / perfective aspect

Complete the sentences using the verbs in brackets in the correct form. (Refer to Analysis Unit VI, 1, 2)

1. — Что ты де́лал(а) вчера́ ве́чером?

— Я _____(слу́ш**ай**-/послу́ш**ай**-) му́зыку.

2. Эти роди́тели _____(покуп**а́й**-/куп**и**-) де́тям игру́шки ка́ждый ме́сяц.

3. В воскресе́нье была́ хоро́шая пого́да. Мы до́лго _____(гуля́**й**-/погуля́**й**-) в па́рке.

4. — Ты _____(пис**а**-/напис**а**-) статьёй?

— Я до́лго _____(пис**а**-/напис**а**-) её вчера́, но не

_____(пис**а**-/ напис**а**-).

5. Утром я всегда _____(читáй-/ прочитáй-) газéту.

6. — Что ты сейчáс дéлаешь? Хóчешь посмотрéть кинó?

 — Нет, извинú, я сейчáс_____(готóви-/приготóви-) обéд.

5. Using the dative case

Complete the sentences using the words in brackets in the correct form. (Refer to Analysis Unit VI, 9, 10.)

1. _____нрáвится отдыхáть во Флорúде, а

_____ нрáвится отдыхáть в Сéверной Каролúне. (моя́ сестрá/ мои́ брáтья)

2. — _____нрáвится нóвая шкóла. (вáша дóчка)

 — Да, онá ей óчень нрáвится.

 — А _____ онá нрáвится? (ваш сын)

 — Да, óчень.

3. — _____ нрáвится наш гóрод?

 (твои немéцкие друзья́)

 — Да, нрáвится. Онú говоря́т, что здесь óчень интерéсно.

4. — Ты лю́бишь чёрный цвет?

 — Нет. Он óчень нрáвится _____ (моя́ подрýга).

5. — Комý вы купúли э́ти цветы́?

 — _____ (нáша любúмая преподавáтельница).

6. Иногдá я покупáю колбасý _____ (нáши собáки) в э́том магазúне.

Unit 6 Day 5
Listening

1.   Future Imperfective
A. Listen to the following short conversations and fill the missing words in the blanks.
(Refer to Analysis Unit VI, 2—4.)

1. — Что ты _____ сегόдня вέчером?

   — Я _____ упражнéния. А ты?

   — А я _____.

2. — Ты зάвтра _____ ýжин?

   — Нет, я куплю́ пи́ццу на ýжин.

3. — Где вы _____лέтом?

   — Мари́на _____на ю́ге, а я _____дόма.

   Я _____ кни́гу.

4. — Дέти _____ сейчάс?

   — Нет, _____. Они́ ещё не голόдные.

5. — Что вы _____ пόсле лέкции?

   — Мы_____ в библиотέке и _____ письмό.

B. Listen to the following conversations and mark the intonational centers you hear in each line. Listen and repeat.

1. — Вы кýпите мне э́тот плакάт?

   — Кýпим, но не сейчάс.

2. — Что ты напи́шешь мάме?

   — Я напишý, что я живý хорошό.

3. — Вы скάжете мне, где вάша сестрά?

— Нет, не ска́жем.

4. — Он пригото́вит нам обе́д?

— Коне́чно, пригото́вит. А у́жин?

— Мы поу́жинаем в рестора́не.

5. — Они переведу́т нам э́ту статью́ сего́дня?

— Они́ сказа́ли, что переведу́т.

Writing

2.   Verb conjugation

Conjugate the following verbs. (Refer to Analysis Unit VI, 7.)

переводи́ть (переводи-)^х

переводи́ть (перево**ди**-)

Present Tense	Past Tense
я_____	он_____
ты_____	она́_____
он, она́_____	они́_____
мы_____	
вы_____	Infinitive:
они́_____	_____

перевести́ (перевёд-)

Future Tense	Past Tense
я_____	он_____
ты_____	она́_____
он, она́_____	они́_____
мы_____	
вы_____	Infinitive:
они́_____	_____

3. Verb practice

Complete the sentences below, supplying the verbs in the correct form. (Refer to Analysis Unit VI, 16, 17.)

<u>пить</u>

1. Моя́ ко́шка не _____ молоко́.

2. Вы _____ ко́фе?

3. У́тром мы обы́чно _____ сок и́ли во́ду.

4. Вчера́ ве́чером Та́ня и Ми́ша _____ ко́фе и говори́ли о му́зыке.

5. Ра́ньше на́ша ба́бушка _____ чай, а сейча́с не _____ .

6. Я зна́ю, что Са́ша и Лёна лю́бят _____ ко́фе в ма́леньких кафе́.

7. Я о́чень ре́дко _____ ко́ка-ко́лу.

<u>есть</u>

1. Твоя́ подру́га _____ ры́бу?

2. Мы ка́ждый ве́чер _____ мя́со! Это ужа́сно!

3. Мои́ бра́тья ре́дко _____ суп.

4. Ты ча́сто _____ моро́женое?

5. Ра́ньше Ри́та _____ зелёный сала́т ка́ждый день, а сейча́с она́ _____ его́ ре́дко.

6. Я _____ хлеб то́лько у́тром.

4. Future perfective

Provide positive answers to the following questions. (Refer to Analysis Unit VI, 3.)

> — Вы позвони́те мое́й ма́ме?
> — Да, позвоню́.

1. — Ди́ма нарису́ет мне мо́ре?

   — _____ .

2. — Ты напи́шешь нам?

   — _____ .

3.   — Вы ку́пите проду́кты?

        — _____ .

4.   —Они́ прочита́ют мой расска́з?

        — _____ .

5.   — Ты съешь ещё одно́ моро́женое?

        — _____ .

6.   — Мы напи́шем ещё одно́ упражне́ние?

        — _____ .

Unit 6 Day 6

Listening

1. Dictation

Write down the dictated sentences, marking stress and ICs.

1. _____

   _____

2. _____

   _____

3. _____

   _____

Writing

2. Verb conjugation

Conjugate the following verbs.

съесть

Future Tense	Past Tense
я съем	он_____
ты съешь	она́_____
он, она́_____	оно́_____
мы_____	они́_____
вы_____	Infinitive
они́_____	_____

вы́пить

Future Tense	Past Tense
я вы́пью	он_____
ты вы́пьешь	она́_____
он, она́_____	оно́_____
мы_____	они́_____
вы_____	Infinitive:
они́_____	_____

3.   **Что едя́т и пьют америка́нские студе́нты?**
Write down the answers to the following questions.

1. Что вы еди́те ка́ждый день? _____

Что вы обы́чно еди́те ве́чером? _____

Что вы ре́дко еди́те? _____

Что вы не еди́те? _____

2. Что вы ча́сто пьёте? _____

Что вы обы́чно пьёте у́тром? _____

Что вы ре́дко пьёте? _____

Что вы не пьёте? _____

4.   **Verb practice: нра́виться**
Fill in the blanks with the correct form of **нра́виться**. Keep in mind that the verb agrees with the grammatical subject in nominative case. (Refer to Analysis Unit 6, 14.)

1. — Мне _____э́тот шарф.

— А мне_____ э́ти брю́ки.

2. — Тебе́ _____ _____те зелёные шо́рты?

— Нет, не _____.

3. — Мне о́чень _____э́тот костю́м.

А мое́й ма́ме он не_____.

4. — Мне _____э́ти чёрные ту́фли.

— А мне _____то чёрное пла́тье.

5. — Мне не_____ э́ти кра́сные кроссо́вки.

— И мне они́ не _____.

5. Discussing the likes and dislikes

Your friends have just moved to a new place. Ask their children...

— if they like their new house.

_____

— if they like their new school.

_____

— if they like their new teachers.

_____

— if they like their new town.

_____

— the dog likes to take walks in the new park.

_____

Unit 6 Day 7

<u>Listening</u>

1.   Translation

You and your friend Bill Sheridan are out with the new Russian exchange student, Larisa. Bill is very eager to meet her, but he can't speak a word of Russian. Help him out and translate each sentence into Russian as you hear it. Mark stress.

1._____.

2._____.

3._____.

4._____.

5._____.

6._____.

7._____.

8._____.

<u>Writing</u>

2.   Verb conjugation

^x
сказа́ть (сказа-)

<u>Future Tense</u>	<u>Past Tense</u>
я_____	он_____
ты_____	она́_____
он, она́_____	они́_____
мы_____	
вы_____	Infinitive:
они́_____	_____

x

написа́ть (написа-)

Future Tense	Past Tense
я_____	он_____
ты_____	она́_____
он, она́_____	они́_____
мы_____	
вы_____	Infinitive:
они́_____	_____

3.   Talking about your future plans

Write about what you and your friends are going to do next week.

В понеде́льник мы бу́дем смотре́ть кино́.

Во вто́рник_____.

_____.

_____.

_____.

_____.

_____.

Reference words: у́жинать в рестора́не, танцева́ть на дискоте́ке, рабо́тать (где?), гото́вить обе́д, отдыха́ть до́ма, реша́ть зада́чи, переводи́ть статью́, писа́ть упражне́ния, слу́шать му́зыку, писа́ть курсову́ю рабо́ту, чита́ть (что?).

4.   Talking about your likes and dislikes

Write a short paragraph about what you like to do and what you don't like to do, what courses at the university you like or don't like so much, your favorite foods and the foods you don't like, favorite music, actors, artists, etc.

_____

Unit 6 Day 8

Listening

1.   Cardinal Numerals

Fill out the chart below as you hear the information about the population in different countries. (Refer to Appendix IV.)

Стра́ны	Persons per sq. mi. (1992)
Австра́лия	
Австрия	
Герма́ния	
Изра́иль	
Ита́лия	
Ирла́ндия	
Казахста́н	
Лихтенште́йн	
Росси́я	
США	
Финля́ндия	
Фра́нция	
Япо́ния	

Writing

2.   Verb conjugation

покупа́ть (покупа́й-)

Future Tense   Past Tense

я_____   он_____

ты_____   она́_____

он, она́_____   они́_____

мы_____

вы_____   Infinitive:

они_____   _____

^x
купи́ть (купи-)

Future Tense   Past Tense

я_____   он_____

ты_____   она́_____

он, она́_____   они́_____

мы_____

вы_____   Infinitive:

они́_____   _____

3. Imperfective /perfective Verbs

Translate the following verbs into Russian. Write both the imperfective and perfective forms of the verb (infinitives and stems).

1. look _____

2. write _____

3. drink _____

4. translate _____

5. eat _____

6. do _____

7. speak _____

8. read _____

4. Imperfective / perfective aspect

Fill in the blanks with the correct form of the verb.

1. — Вы уже́ _____(писа-/написа-) статью́?
   — Ещё нет.
   — А когда́ вы её _____(писа- /написа-)?
   — В сре́ду.

2. — Ты _____ (переводи-/ перевёд-ˣ) вчера́ расска́з?

   — Да, _____ (переводи-/ перевёд-ˣ) Вот он.

3. — Что ты сейча́с де́лаешь?

   — Я _____(есть/ съесть) суп.

4. Вчера́ я до́лго _____(чита́й-/ прочита́й-) в библиоте́ке.

5. Ве́ра _____(покупа́й-/ купи-ˣ) э́той же́нщине проду́кты ка́ждую пя́тницу.

5.   Translation

On Sunday Та́ня, Ми́ша and Дэ́нис had lunch at **Изма́йлово**. Translate Та́ня'c description of what they did.

Yesterday we were at **Изма́йлово**. Ми́ша bought me a very beautiful scarf. We saw Дэ́нис there. He was buying postcards and souvenirs. I introduced Дэ́нис to Ми́ша. I was a little afraid — Ми́ша is jealous sometimes. But I think Дэ́нис likes Ми́ша and Ми́ша likes Дэ́нис. We had lunch at an inexpensive café. Ми́ша told Дэ́нис about the veterinary center. Дэ́нис told us about his sister. She is the director of a big American company. Дэ́нис is going to give his sister a call; maybe she will help Ми́ша. Isn't that good?

_____

_____

_____

_____

_____

_____

_____

Unit VII Workbook

Warm-Up

1. New vocabulary

A. Match the Russian words with their English equivalents.
(Refer to Unit VII vocabulary)

стипéндия	class
конспéкт	exam
экзáмен	test
декáн	semester
контрóльная рабóта	dean's office
зачёт	class notes
семинáр	schedule
семéстр	seminar
деканáт	stipend
расписáние	dean
занятие	pass/fail exam

B. Fill in the blanks using the words below.

1. — Какáя сейчáс бýдет _____?

— Сейчáс бýдет не _____, а _____.

2. — Извинúте, где здесь _____?

— _____ в 512 кóмнате.

3. — Вы бýдете зáвтра на _____?

— Обязáтельно бýду.

4. — Что ты бýдешь дéлать пóсле _____?

— Я бýду отдыхáть.

5. — _____ был трýдный?

— Нет, ерундá.

6. — Это твой _____?

— Нет, это _____ моегó дрýга.

7. — Ты не знáешь, как зовýт нáшего _____?

— Иван Ива́нович.

8. — Ты хорошо́ написа́л (а)_____?

— По-мо́ему, непло́хо.

ле́кция, экза́мен, заня́тие, декана́т, конспе́кт, семина́р, зачёт, контро́льная

рабо́та, дека́н

2.   Word Find
Find five words referring to reading materials.

п	и	с	ь	м	о	ж
с	п	и	к	к	ш	у
г	л	у	н	н	а	р
а	к	о	а	и	н	н
з	р	е	в	г	т	а
е	с	а	п	а	о	л
т	в	к	а	г	р	и
а	у	б	э	х	ф	ь
у	ч	е	б	н	и	к

Unit 7 Day 1
Listening

1.   Talking about yourself

A. Write down your answers to the questions on the tape.

1._____

2._____

3._____

4._____

5._____

6._____

7._____

8._____

9._____

2.   Recognizing intonational centers

Mark the intonational centers in the following conversations as you hear them, and fill the missing words in the blanks.

1.— В вáшем гóроде есть_____?

— Нет. А в вáшем?

— А в нáшем_____.

2.— В вáшем _____ райóне есть банк?

— Конéчно, есть.

3.— Ты живёшь в большóм гóроде и́ли в мáленьком?

— В_____.

— А кинотеа́тр там есть?

— _____.

4.— Вам нра́вится ваш но́вый райо́н?

— Да, там есть шко́ла,_____,
неплохи́е рестора́ны и библиоте́ка.

Writing

3.   Verb conjugation
Provide the full conjugation of the verb серди́ться (серди-ся)[x] - "be angry". (Refer to Analysis Unit VII, 14; Unit V, 12.)

<u>Present Tense</u>   <u>Past Tense</u>

я_____   он_____

ты_____   она́_____

он, она́_____   они́_____

мы_____

вы_____   <u>Infinitive</u>

они́_____   _____

4.   Creating sentences
Create sentences out of the following words.
(Refer to Analysis Unit VII, 1; VI, 10, 11)
A.

1. Наш, университе́т, бассе́йн, в, есть.

_____.

2. Ваш, райо́н, в, библиоте́ка, есть?

_____.

3. Этот, есть, в, стадио́н, институ́т?

_____.

4. Зда́ние, э́то, в, есть, лифт.

_____.

5. Общежи́тие, ва́ше, в, столо́вая, есть?

_____.

6. Есть, в, наш, го́род, метро́.

_____.

В.

1. Нра́виться, ва́ши друзья́, наш, институ́т?

_____.

2. Фильм, мой, нра́виться, э́тот, роди́тели.

_____.

3. Их, кварти́ра, бра́тья, нра́виться, твой, но́вый?

_____.

4. Но́вые, де́ти, мультфи́льмы, нра́виться.

_____.

5. Расска́зы, студе́нты, нра́виться, писа́тель, э́тот, на́ши.

_____.

5.   Talking about the place where you live

Write six sentences to describe the town/city where you live or where you are from. Is it big or small? Are there parks, banks, schools, universities etc., there?

_____

_____

_____

_____

_____

Unit 7 Day 2

Listening

1.   Constructions with the words есть, нет

Change the sentences you hear as demonstrated in the model.
(Refer to Analysis Unit VII, 1, 2.)

> Speaker:— У меня́ есть но́вая маши́на.
> Student:— У меня нет но́вой маши́ны.
>   У меня́ не́ было но́вой маши́ны.
>   У меня́ не бу́дет но́вой маши́ны.

1.   _____.

       _____.

       _____.

2.   _____.

       _____.

       _____.

3   _____.

       _____.

       _____.

4.   _____.

       _____.

       _____.

Writing

2. Expressing possession

Answer the following questions. (Refer to Analysis Unit VII, 2, 5; V, 6.)

> — У Та́ни нет бра́та. А у Дэ́ниса? ⇒
> — А у него́ есть брат.

1. У Та́ни есть сестра́. А у вас?

_____.

2. У Та́ни ско́ро бу́дет экза́мен. А у вас?

_____.

3. У Серге́я есть маши́на. А у Та́ни?

_____.

4. У Оли есть рабо́та. А у Ле́ны?

_____.

5. У Дэ́ниса нет соба́ки. А у Та́ни и у Оли?

_____.

6. За́втра у Ле́ны бу́дет семина́р. А у вас?

_____.

3. Constructions with есть, нет

A. An absent-minded friend of yours lost her bag. She is complaining to you describing what she had in it. Fill in past tense forms of **быть**, both positive and negative, to complete her story.

В су́мке _____ уче́бник ру́сского языка́. Как я тепе́рь бу́ду писа́ть упражне́ния? Там _____ мои́ конспе́кты. У меня́ же ско́ро бу́дет контро́льная рабо́та! Там _____ фотогра́фия моего́ дру́га. А ещё там _____ письмо́ мое́й сестре́. Хорошо́, что в су́мке _____ пле́йера. Я ча́сто слу́шаю му́зыку на у́лице и в университе́те.

B. Ask your friend if she had money, her favorite sandwiches, English textbook or clothing in her bag.

1. _____

2. _____

3. _____

4._____

4.　Почему́?

Combine the sentences from the first column with the sentences from the second column using the conjunction **потому́ что**.

Серге́й не позвони́л Дэ́нису.	Она́ его́ не ест.
Та́ня купи́ла конфе́ты.	Он её лю́бит.
Оля не купи́ла мя́со.	Она́ их лю́бит.
Дека́н серди́лась.	У него́ не́ было его́ телефо́на.
Ми́ша хо́чет ви́деть Та́ню.	Та́ня не была́ на ле́кции.

1._____.

2._____.

3._____.

4._____.

5._____.

Unit 7 Day 3

Listening

1. **Expressing possession**

Change the sentences you hear as shown in the model. (Refer to Analysis Unit VII, 2)

A.

| В ва́шем до́ме есть лифт? ⇒ |
| У вас в до́ме есть лифт? |

1.

_____

2.

_____

3.

_____

4.

_____

5.

_____

B.

| У нас в рестора́не нет спра́йта. ⇒ |
| В на́шем рестора́не нет спра́йта. |

1. _____

2. _____

3. _____

4. _____

5. _____

Writing

2.   Recognizing verb forms

Determine the tense and aspect of the following verbs.
(Refer to Analysis Unit VII, 10, 11.)

> написа́л — Past, Perfective

1. дал_____

2. дава́ла_____

3. вызыва́ю_____

4. вы́зову_____

5. даст_____

6. вы́звали_____

7. нра́вится_____

8. помо́жем_____

9. съе́ли _____

10. вы́пью _____

11. дади́м _____

12. перевёл_____

3.   The nouns и́мя, вре́мя

Fill in the blanks with the nouns **и́мя** and **вре́мя** in the correct form. (Refer to Analysis Unit VII, 8.)

1. —Извини́те, молодо́й челове́к, ва́ше _____ Алекса́ндр?

   — Да, я Алекса́ндр Кузнецо́в.

2. — Како́е _____вы да́ли ва́шему ребёнку?

   — У него́ ещё нет_____.

3. — Ле́на дала́ мне посмотре́ть хоро́ший италья́нский фильм. У тебя́ бу́дет

   _____ ве́чером?

   — Сего́дня ве́чером у меня́ не бу́дет _____. Хо́чешь, посмо́трим его́ за́втра?

4. — Хо́чешь в кино́ сего́дня ве́чером?

   — Нет, у меня́ не бу́дет _____.
   За́втра у меня́ экза́мен по биоло́гии.

5. Ба́бушка и де́душка говори́ли о том _____,
   когда́ ещё не́ было телеви́зора. Как же они́ жи́ли?!

4. **Что бы́ло в чемода́не?**

Your suitcase got lost at the airport when you were going to your friend's wedding.
Describe what was (and wasn't) in it. (Refer to Analysis Unit VII, 1.)

Unit 7 Day 4

Listening

1. **Imperfective/ perfective aspect**

Listen to the statements on the tape and change the aspect of the verbs as shown in the model.

> Ты <u>позвони́шь</u> ма́ме? ⇒
> Ты <u>бу́дешь звони́ть</u> ма́ме?

1._____.

2._____.

3._____.

4._____.

5._____.

6._____.

7._____.

8._____.

9._____.

10._____.

2. **Verb conjugation**

Conjugate the following verbs. (Refer to Analysis Unit VII, 11, 12.)

сдава́ть (сдава́й-)

Present Tense   Past Tense

я_____   он_____

ты_____   она́_____

он, она́_____   они́_____

мы_____   Infinitive

вы_____   _____

они_____

сдать

Future Tense	Past Tense

я_____   он_____

ты_____   она_____

он, она_____   они_____

мы_____   Infinitive

вы_____   _____

они_____

3.   Imperfective/ perfective verbs

Provide both the imperfective and the perfective forms (stems) for the following verbs:

1. wait_____

2. give_____

3. be able to_____

4. receive_____

5. call_____

6. give somebody a call_____

7. speak_____

8. translate_____

9. eat_____

10. drink_____

4.   **Translation**

1.— Is there a subway in your city?

_____

— Yes, there is.

_____

2.— Does she have a telephone in her room?

_____

— No, she doesn't.

_____

3.— A friend of mine gave me a new cassette. Do you want to listen to it tonight?

_____

_____

— No, I can't. I have a test tomorrow.

_____

4.— Why didn't you write to me?

_____

— Because I didn't have your address.

_____

5.— Why didn't you buy dark bread (чёрный хлеб)?

_____

— Because there was no dark bread at the store.

_____

6.— Did you take your exam in chemistry?

— Yes, and I passed it.

7.— I have a seminar on Russian history now and I don't have a book. Could you give me your book?

— Yes, of course. I will give you my book.

Unit 7 Day 5

Listening

1.   Listening comprehension
Дáша met Edwin at a Russian club meeting at the university of Maryland.
A. Listen to their conversation two times.

B. Mark over the following statements as true or false.

	да	нет
1. Эдвин ýчится на факультéте психолóгии.	_____	_____
2. Дáша ýчится на факультéте рýсского языкá.	_____	_____
3. Дáша бýдет учúться в Амéрике одúн год.	_____	_____
4. Дáша сказáла, что Эдвин хорошó говорúт по-рýсски.	_____	_____
5. Эдвин не знал, что Дáша — рýсская.	_____	_____
6. Эдвин хóчет учúться в Россúи.	_____	_____
7. Эдвин бýдет писáть об эконóмике Россúи.	_____	_____
8. Он хóчет писáть об эколóгии.	_____	_____

Writing

2.   Imperfective/ perfective verbs
Translate the following verbs into Russian providing both the imperfective and the perfective forms (stems and infinitives).

1. begin_____

2. open_____

3. close_____

4. give_____

5. wait_____

6. translate_____

7. buy_____

8. do_____

3. Imperative

Provide the imperative forms for the following verbs. (Refer to Analysis Unit VII, 6, 7.)

A.

читáть ⇒ Читáй! Читáйте!

1. звони́ть _____ _____

2. написáть _____ _____

3. говори́ть _____ _____

4. посмотрéть _____ _____

5. дать _____ _____

6. подождáть _____ _____

7. откры́ть _____ _____

B.

Прочитáй! ⇒ Не читáй!
Подожди́те! ⇒ Не жди́те!

1. Переведи́! _____

2. Реши́те! _____

3. Напиши́те! _____

4. Сдéлай! _____

5. Скажи́! _____

6. Начни́те! _____

7. Закрóй! _____

8. Дай! _____

4.   Imperative
Change the following requests as shown in the model.

> — Ты не мо́жешь дать мне конспе́кты? ⇒
> — Дай мне, пожа́луйста, конспе́кты.
>
> — Вы не мо́жете прочита́ть мне э́то письмо́? ⇒
> — Прочита́йте мне, пожа́луйста, э́то письмо́.

1. — Вы не мо́жете перевести́ э́ту статью́ сего́дня?

_____

2. — Ты не мо́жешь помо́чь нам написа́ть расска́з по-ру́сски?

_____

3. — Ты не мо́жешь пригото́вить у́жин?

_____

4. — Вы не мо́жете откры́ть окно́?

_____

5. — Вы не мо́жете купи́ть мне ма́сло?

_____

6. — Ты не мо́жешь сказа́ть Ка́те, что я её здесь жду?

_____

5.   Expressing existence, availability or possession
Fill in the blanks with the pronouns in the correct form. (Refer to Analysis Unit VII, 3, 5.)

> У Са́ши нет ко́шки. ⇒
> У него́ нет ко́шки.

1. Та́не не нра́вится се́рый цвет. У _____ нет се́рого пла́тья.

2. Анна Бори́совна преподаёт ру́сский язы́к. У _____ интере́сная рабо́та.

3. Ле́на и Та́ня у́чатся в институ́те. У _____ ско́ро бу́дут экза́мены и зачёты.

4. Дэ́нис фото́граф. У _____ интере́сная профе́ссия.

5. У Серге́я и Алексе́я экза́мены. У _____ сейча́с нет вре́мени игра́ть на гита́ре.

6. Дэ́нис ча́сто перево́дит статьи́. У _____ есть хоро́ший англо-ру́сский слова́рь.

Unit 7 Day 6

Listening

1.   Recognizing intonational constructions

Mark the ICs as you hear them in the following conversations, and fill in the missing words, then listen and repeat.

A.

— Лёна, _____ бы́ло заня́тие по англи́йскому языку́?

— Да, бы́ло.

— А ле́кция была́?

— Нет, ле́кции не́ было.

— А ты не зна́ешь, за́втра бу́дет _____ в студе́нческом теа́тре?

— По-мо́ему, бу́дет.

— А ты бу́дешь на конце́рте?

— Нет, не бу́ду. У меня́ не бу́дет вре́мени.

— А где ты была́ вчера́ ве́чером? Я тебе́ _____, а тебя́ не́ было

до́ма.

— Я была́ в Большо́м теа́тре.

— А что там бы́ло?

— «Бори́с Годуно́в». Све́та, извини́, пожа́луйста, я сейча́с занята́. Я тебе́

ве́чером _____, хорошо́?

— Хорошо́, пока́.

— Пока́.

B.

— Джон, ты _____ в большо́м го́роде?

— Нет, в ма́леньком.

—_____в го́роде есть теа́тр?

— Нет, у нас нет теа́тра.

— А университе́т у вас есть?

— И университе́та_____.

Writing

2. Verb conjugation

Provide the full conjugation of the following verbs.

откры́ть (откро́й-)

<u>Future Tense</u>   <u>Past Tense</u>

я_____   он_____

ты_____   она́_____

он, она́_____   оно́_____

мы_____   они́_____

вы_____   <u>Imperative</u>

они́_____   _____

перевести́ (перевёд-)

<u>Future Tense</u>   <u>Past Tense</u>

я_____   он_____

ты_____   она_____

он, она́_____   оно́_____

мы_____   они́_____

вы_____   <u>Imperative</u>

они́_____   _____

3. Aspect practice

Fill in the blanks with the correct form of the verbs given below.

вызыва́й-/ вы́з/ва^х   понима́й-/ пойм-

получа́й-/ получи́-^х   сдава́й-/ сдать

опа́здывай-/ опозда́й-

1. — Ты ча́сто _____?

— Ча́сто. Вчера́ я опя́ть _____ на заня́тие. Профе́ссор о́чень серди́лся.

2. — Мари́на, вы _____ ка́ждый день! О чём вы ду́маете? Так вы пятёрку не _____ .

3. — Скажи́те, пожа́луйста, где здесь факульте́т лингви́стики?

— Извини́те, я не _____ , что вы сказа́ли. Вы говори́те о́чень бы́стро.

4. — Ты бу́дешь сейча́с обе́дать?

— Нет, я сейча́с не могу́. Я вчера́ опя́ть не была́ на заня́тии. Меня́ _____ наш преподава́тель.

5. — Как ты ду́маешь, я _____ экза́мен по ру́сскому языку́?

— Коне́чно, _____ . Не волну́йся! Ты о́чень хорошо́ говори́шь по-ру́сски.

4. Talking about your studies

Write a story about yourself based on the following questions. Feel free to add more information.
1. В како́м университе́те вы у́читесь?
2. На како́м вы ку́рсе?
3. Каки́е ку́рсы вы бу́дете слу́шать в весе́ннем (spring) семе́стре?
4. Каки́е экза́мены/зачёты вы бу́дете сдава́ть в э́том семе́стре?
5. Како́й экза́мен бу́дет са́мый тру́дный?
6. Каки́е экза́мены бу́дут не о́чень тру́дные?
7. Каки́е курсовы́е рабо́ты вы пи́шете в э́том семе́стре?

_____

_____

_____

_____

_____

_____

_____

_____

5. **«У меня́ ещё есть вре́мя»**

Write six sentences that describe the film **«У меня́ ещё есть вре́мя»** using the chart and reference words below.

Кто	Что де́лает	Где

Reference words:

Ле́на, Дэ́нис, Та́ня, дека́н, студе́нты

институ́т, столо́вая, кинозáл, сту́дия, библиоте́ка

звони́ть, говори́ть (о ком/о чём), чита́ть, покупа́ть, обе́дать, рабо́тать, гото́вить, опа́здывать

Unit 7 Day 7

Listening

1. Memorizing the dialog

Memorize the following conversation between Та́ня and Еле́на Петро́вна. Watch the video several times and practice saying it out loud with the correct ICs.

Та́ня: — $\overset{2}{\text{До́брый день, Еле́на Петро́вна.}}$ $\overset{3}{\text{Мо́жно?}}$ $\overset{3}{\text{Вы меня́ зва́ли?}}$

Е.П.: — $\overset{2}{\text{Здра́вствуйте, Та́ня.}}$ $\overset{2}{\text{Закро́йте, пожа́луйста, дверь.}}$ $\overset{2}{\text{Сади́тесь, пожа́луйста.}}$

   $\overset{2}{\text{Та́ня,}}$ $\overset{3}{\text{вы по́няли,}}$ почему́ я вас вы́звала?

Та́ня: — $\overset{1}{\text{Ду́маю, что да.}}$

Е. П.: — Вы опя́ть пропусти́ли $\overset{1}{\text{ле́кцию по филосо́фии.}}$

Та́ня: — Я всё $\overset{2}{\text{понима́ю,}}$ Еле́на Петро́вна.

Е.П.: — $\overset{2}{\text{Так нельзя́.}}$ Вы $\overset{2}{\text{спосо́бная студе́нтка.}}$ Вы же мо́жете хорошо́ $\overset{2}{\text{учи́ться!}}$

Та́ня: — $\overset{2}{\text{Еле́на Петро́вна,}}$ я $\overset{2}{\text{бо́льше не бу́ду.}}$ Я вам $\overset{2}{\text{обеща́ю!}}$

Е.П.: — Ина́че вы не полу́чите $\overset{1}{\text{стипе́ндию на бу́дущий год.}}$ Вы э́то $\overset{3}{\text{понима́ете?}}$

Та́ня: — $\overset{1}{\text{Да,}}$ $\overset{1}{\text{коне́чно.}}$

Е.П.: — $\overset{1}{\text{Ну всё,}}$ вы $\overset{1}{\text{свобо́дны.}}$

Та́ня: — $\overset{1}{\text{До свида́ния.}}$

Е.П.: — $\overset{1}{\text{До свида́ния.}}$

Writing

2. Verb conjugation

Provide full conjugations of the following verbs. (Refer to Analysis Unit VII, 10.)

$\overset{x}{\text{подожда́ть (подожда́-)}}$

Future Tense	Past Tense
я_____	он_____
ты_____	она́_____
он, она́_____	оно́_____
мы_____	они́_____

вы_____ Infinitive _____

они_____ Imperative _____

х

начать (начн -)

Future Tense   Past Tense

я_____   он_____

ты_____   она́_____

он, она́_____   оно́_____

мы_____   они́_____

вы_____   Infinitive _____

они́_____   Imperative _____

3.   Imperfective/ perfective verbs

Write the perfective form for the following imperfective stems.

1. нра́ви-ся /_____

2. получа́й-/_____

3. понима́й-/_____

4. начина́й-/_____

5. пока́зывай-/_____

6. покупа́й-/_____

7. вызыва́й-/_____

8. жда-/_____ (х)

9. переводи-/_____ (х)

10. реша́й-/_____

4.   Понра́виться

Respond to these statements with a question, asking if they liked the concert, movie, etc. Remember that the verb **понра́виться** agrees in gender and number with the <u>grammatical</u> subject.

> — Мы бы́ли на конце́рте гру́ппы « Авйа».
> — Вам понра́вился конце́рт?

1. Мой роди́тели бы́ли вчера́ на спекта́кле.

_____?

2. Та́ня и Ле́на смотре́ли но́вый францу́зский фильм.

_____?

3. Мой брат смотре́л бале́т «Щелку́нчик» в теа́тре о́перы и бале́та.

_____?

4. Я слу́шала о́перу «Де́мон».

_____?

5. Моя́ подру́га смотре́ла фильм «Фо́ррест Гамп».

_____?

6. Мой друг был на дискоте́ке в но́вом клу́бе.

_____?

5.   Ваш люби́мый фильм, ваш люби́мый актёр/ актри́са.

A. Write about your favorite film. Who is the producer? What is the film about?

B. Write about your favorite actor. Why do you like him/her? Is s/he an **актёр-тра́гик, актёр-ко́мик, актёр-универса́л**?

Unit 7 Day 8

Listening

1.   Dictation

Write down the dictated sentences and mark stress and IC's.

1.   _____

_____

2.   _____

_____

3.   _____

_____

Writing

2.   Aspect in imperatives

Change the following sentences as shown in the model. (Refer to Analysis Unit VII, 7.)

A.

> Не читáйте эту кнúгу. ⇒
> Обязáтельно прочитáйте эту кнúгу.

1. Не пéйте этот сок.

_____

2. Не спрáшивай Олю о рабóте.

_____

3. Не пишú другу о проблéмах в институ́те.

_____

4. Не говорú мáме об этой статьé.

_____

5. Не ду́май об этом.

_____

B.

> Обяза́тельно съешь э́ту ры́бу. ⟹
> Не ешь э́ту ры́бу

1. Обяза́тельно переведи́ э́тот расска́з.

_____

2. Обяза́тельно позвони́ Серге́ю сего́дня ве́чером.

_____

3. Обяза́тельно помоги́ Дэ́нису перевести́ статьёй.

_____

4. Обяза́тельно купи́ мя́со!

_____

5. Обяза́тельно посмотри́ э́тот спекта́кль!

_____

3.   Imperfective/ perfective Verbs

Write down the imperfective forms for the following perfective verbs.

1. начн-ˣ   _____

2. перевёд-   _____

3. помо́чь   _____

4. смочь   _____

5. пойм-ˣ   _____

6. закро́й-   _____

7. вы́з/ва-   _____

8. сдать   _____

9. показа-ˣ   _____

10. сказа-ˣ   _____

4. **Что вы ска́жете?**

What would you say/ask in the following situations?

1. Вы смотре́ли фильм. Вам фильм не понра́вился, потому́ что он был неинтере́сный. Ваш друг хо́чет посмотре́ть э́тот фильм.

_____

2. Преподава́тель сказа́л, когда́ бу́дет экза́мен по ру́сскому языку́. Вы не́ были в университе́те и не зна́ете об э́том. Спроси́те ва́шу подру́гу/ ва́шего дру́га.

_____

3. Вы в гостя́х (visiting) у ва́шей подру́ги. Вы ещё не́ были в э́том го́роде. Спроси́те, что там есть.

_____

4. Вы перево́дите статью́. У вас нет ру́сско-англи́йского словаря́. А у ва́шей подру́ги он есть. Попроси́те слова́рь у неё.

_____

5. Ваш друг/ подру́га хо́чет у́жинать сего́дня в рестора́не. У вас нет вре́мени, потому́ что у вас за́втра экза́мен.

_____

6. Ва́ша сестра́ ждала́, что вы ей позвони́те. А вы ей не позвони́ли. Почему́?

_____

5. **Translation**

Translate the following conversations into Russian.

1. — What exams are you going to take this semester?

_____

— I'm going to take an exam in Russian, an exam in math and an exam in literature.

_____

2. — Could you buy me bananas?

_____

— Sure, I can.

_____

3. — What is your major? — History.

_____

4. — What year are you in?

_____

— I'm a freshman.

_____

5. — Did you like the movie?

_____

— Yes, it was very interesting.

_____

— What was the movie about?

_____

— It was about Russian students in America.

_____

6. — When are you going to start writing your term paper?

_____

— On Monday or on Tuesday.

_____

7. — I can't translate this article!!!

_____

— Do you want me to help you?

_____

8. — Did Анна finish translating the short-story?

_____

— Yes, she did. There it is.

_____

9. — Do you like my new dress?

_____

— It's very beautiful! Where did you buy it?

_____

— It's a present.

Answer Key
Introductory Workbook Key

Day 2

<u>Listening</u>

1. **Recognizing voiced/voiceless consonants**

1. <u>бар</u> - пар
2. вон - <u>фон</u>
3. <u>год</u> - кот
4. <u>дом</u> - том
5. зуп - <u>суп</u>
6. док - <u>ток</u>
7. дом - том
8. <u>жар</u> - шар
9. <u>доска́</u> - тоска́
10. до́чка - <u>то́чка</u>

Day 3

3. **Recognizing soft consonants**

1. стади́он
2. магази́н
3. теа́тр
4. му<u>з</u>е́й
5. инс<u>т</u>иту́т
6. так<u>с</u>и́
7. <u>г</u>имна́с<u>т</u>ика
8. гол<u>ь</u>ф
9. сту<u>д</u>е́нт
10. сту<u>д</u>е́нтка

Unit 3 Day 5

<u>Listening</u>

1. **Intonation in enumeration**

1.   — Где вы жи́ли в Росси́и?
    — В Москве́, в Петербу́рге и в Но́вгороде.

2.   — Когда́ вы жи́ли в Москве?
    — В ма́е, в ию́не и в ию́ле.

3.   — Где вы рабо́тали?
    — В магази́не, в кафе́ и в библиоте́ке.

4.   — Когда́ вы рабо́тали в магази́не?
    — В сентябре́, октябре́ и ноябре́.

5.   — Како́й са́мый краси́вый цвет?
           3   3   1
       — Чёрный, бе́лый и кра́сный.
                    2
6.   — Ну, как твой но́вый друг?
                    3   3   1
       — Он хоро́ший, весёлый и энерги́чный.

ANSWER KEY

Unit 3 Day 7

Listening

1.   **Listening comprehension**

A.

Меня́ зову́т Гали́на. Я студе́нтка. Я хочу́ рабо́тать на телеви́дении. Ма́ма, па́па и я ра́ньше жи́ли в Му́рманске, а тепе́рь мы живём в Москве́. Ра́ньше мой па́па, Алекса́ндр Миха́йлович, рабо́тал в больни́це, а сейча́с он бизнесме́н. Моя́ ма́ма, Ири́на Влади́мировна, рабо́тает в шко́ле. Она́ о́чень ма́ло отдыха́ет. В ию́ле и в а́вгусте я, ма́ма и на́ша соба́ка Ро́за живём на да́че. Па́па то́же хо́чет жить ле́том на да́че, но он мно́го рабо́тает в Москве́. Я непло́хо чита́ю и говорю́ по-англи́йски. По-мо́ему, са́мый краси́вый язы́к - францу́зский. Я о́чень хочу́ говори́ть по-францу́зски.

Unit 4 Day 3

Listening

1.   **Listening comprehension**

A. Ольга Васи́льевна рабо́тает в ма́леньком америка́нском рестора́не. Она́ официа́нтка. Она́ ча́сто у́жинает в э́том рестора́не, а её муж Майкл Ке́лли всегда́ у́жинает до́ма. Ольга Васи́льевна и её муж живу́т на второ́м этаже́ в небольшо́м до́ме, в ма́леньком го́роде. Их де́ти, Алекса́ндр и Ви́ктор, - молоды́е энерги́чные лю́ди. Они́ хорошо́ говоря́т по-англи́йски и по-русски.Ви́ктор и Алеха́ндр не хотя́т жить в ма́леньком го́роде. Они́ живу́т в са́мом большо́м америка́нском го́роде, в Нью-Йо́рке. Утром Ви́ктор в университе́те, а Алекса́ндр на рабо́те. Он рабо́тает в шко́ле. Ве́чером бра́тья в библиоте́ке, на конце́рте, на вы́ставке или на спекта́кле. Ле́том Ви́ктор хо́чет рабо́тать на се́вере, в шта́те Аля́ска.

Unit 7 Day 5

Listening

1.   **Listening comprehension**

A.   — Здра́вствуйте, меня́ зову́т Эдвин.

— А меня́ зову́т Да́ша. Очень прия́тно.

— Очень прия́тно. Да́ша, вы у́читесь на факульте́те ру́сского языка́?

— Нет, я учу́сь на истори́ческом факульте́те. А по-русски я и так хорошо́ говорю́. Я же ру́сская.

— Пра́вда? А я ду́мал, вы — америка́нка. Вы до́лго здесь бу́дете учи́ться?

— Оди́н год. А где вы у́читесь, Эдвин?

— А я учу́сь на факульте́те журнали́стики, на пя́том ку́рсе.

— Вы так хорошо́ говори́те по-русски! Вы учи́лись в Росси́и?

— Нет, я ещё не́ был в Росси́и. Но я хочу́ там рабо́тать. Я хочу́ посмотре́ть ва́шу страну́. Я хочу́ уви́деть Сиби́рь, Байка́л, Ура́л, се́вер и юг страны́. Я хочу́ рассказа́ть о ва́шей стране́ америка́нцам.

— А о Москве́ вы не хоти́те рассказа́ть?

— Конéчно, Москвá — óчень интерéсный гóрод. Но о жúзни в Москвé здесь мнóго пúшут, а о жúзни в другúх городáх мы знáем мáло.

— А о чём вы бýдете писáть?

— Я хочý писáть о рýсской культýре, о рýсских традúциях. А ещё меня интересýет экология.

— По-мóему, у вас óчень интерéсная профéссия, Эдвин.

— Да, я тóже так дýмаю.